Mude seus horários, mude sua vida

DR. SUHAS KSHIRSAGAR

com MICHELLE SEATON
prefácio de DEEPAK CHOPRA

Mude seus horários, mude sua vida

Este livro é uma obra de referência e não um manual médico. As informações nele contidas têm o objetivo de ajudar o leitor a tomar decisões conscientes sobre sua saúde. O propósito desta publicação não é substituir tratamentos nem orientações de profissionais da área médica. Caso você suspeite que tem um problema de saúde, nós o aconselhamos a consultar um médico. Além disso, busque a orientação desse profissional antes de tomar qualquer medicamento. Os autores e a editora não se responsabilizam por quaisquer efeitos colaterais que possam resultar do uso ou da aplicação das informações aqui apresentadas.

Título original: *Change Your Schedule, Change Your Life*

Copyright © 2018 por Dr. Suhas G. Kshirsagar
Copyright da tradução © 2020 por GMT Editores Ltda.

Publicado mediante acordo com Harper Collins Publishers

Todos os direitos reservados. Nenhuma parte deste livro pode ser utilizada ou reproduzida sob quaisquer meios existentes sem autorização por escrito dos editores.

coordenação editorial: Alice Dias
produção editorial: Livia Cabrini
tradução: Beatriz Medina
preparo de originais: Melissa Lopes Leite
revisão: Hermínia Totti e Tereza da Rocha
diagramação: Valéria Teixeira
capa: Adalis Martinez
adaptação de capa: Gustavo Cardozo
impressão e acabamento: Lis Gráfica e Editora Ltda.

CIP-BRASIL. CATALOGAÇÃO NA PUBLICAÇÃO
SINDICATO NACIONAL DOS EDITORES DE LIVROS, RJ

K96m Kshirsagar, Suhas
Mude seus horários, mude sua vida/ Suhas Kshirsagar, Michelle Seaton; tradução de Beatriz Medina. Rio de Janeiro: Sextante, 2020.
240 p.; 16 x 23 cm.

Tradução de: Change your schedule, change your life
ISBN 978-85-431-0920-6

1. Ritmos circadianos – Aspectos da saúde. 2. Medicina ayurvédica. 3. Ritmos biológicos. I. Seaton, Michelle. II. Medina, Beatriz. III. Título.

19-61158
CDD: 612.022
CDU: 612.014

Todos os direitos reservados, no Brasil, por
GMT Editores Ltda.
Rua Voluntários da Pátria, 45 – 14º andar – Botafogo
22270-000 – Rio de Janeiro – RJ
Tel.: (21) 2538-4100
E-mail: atendimento@sextante.com.br
www.sextante.com.br

SUMÁRIO

Prefácio por Deepak Chopra 7

1   Não é você, são seus horários 11
2   O relógio biológico 24
3   Escute seu corpo 39
4   Dormir é o melhor remédio 59
5   A rotina de sono certa para você 77
6   Você é quando você come 98
7   A alimentação certa para você 117
8   O exercício certo na hora certa 139
9   O exercício certo para você 155
10 Seu corpo em cada estação do ano 171
11 As estações da vida 190
12 Como construir o dia perfeito 205

Agradecimentos 227

Notas 231

PREFÁCIO
por Deepak Chopra

● ○ ◐ ●

Quando escrevi *Saúde perfeita*, em 1991, que define os princípios do ayurveda para a vida cotidiana, eu não sabia se os leitores aceitariam fazer escolhas de estilo de vida que fossem tão diferentes do padrão básico ocidental. Mas fui incentivado pelo interesse natural que as pessoas tinham de descobrir qual é o seu tipo de corpo – a porta de entrada básica para o ayurveda –, que a partir daí leva à alimentação personalizada e às rotinas sazonais. Mais importante ainda, *Saúde perfeita* se concentra na consciência como o agente mais poderoso para mudar corpo e mente. Um ayurveda baseado na consciência vai muito além da ideia de ayurveda como "medicina alternativa" – trata da evolução da pessoa em todas as dimensões: física, mental e espiritual. Nas lendas do ayurveda, há práticas intensas que supostamente criavam imortais; no ayurveda real, você percebe sua condição de imortal logo no início, derrotando a ilusão de nascimento e morte.

No entanto, a medicina no Ocidente – e cada vez mais na Índia, na China e no Oriente em geral – não tem dado importância à expansão da consciência. Muito pelo contrário! A ideia é inventar uma espécie de rede de segurança baseada em comer os alimentos certos, fazer a quantidade ideal de exercícios físicos, gerenciar o estresse e controlar as várias influências negativas, como fumar e beber, que prejudicam a saúde e reduzem a expectativa de vida. Nesse aspecto, a sociedade parou de evoluir, penso eu, porque a noção de evitar riscos se baseia na ansiedade. O bem-estar se torna um estado inseguro fadado a ser temporário em razão dos muitos ataques provenientes do ambiente que nos cerca.

O ayurveda não contradiz essas medidas para obter bem-estar, mas o foco primário é o equilíbrio holístico, que leva a uma confiança profunda na natureza a partir da conexão do corpo com o ambiente que o cerca. Toda a tradição da sabedoria indiana se resume em dar fim à separação e viver na consciência da unidade. Não que a unidade seja um prêmio obtido depois de uma vida inteira de prática árdua. Em vez disso, a unidade é o estado básico da existência, do qual nos separamos. Retornar ao estado básico ou ser autêntico deve envolver um modo natural de vida que mantenha o corpo e a mente em equilíbrio enquanto evoluem.

Não se pode esperar de nenhum sistema de "medicina alternativa" que traga a consciência da unidade. Aproxima-se mais da verdade o uso da palavra sânscrita *upaveda*, na qual *veda* significa "o ensinamento sobre a realidade", e *upa*, "perto de". *Upaveda* não é um ensinamento espiritual puro, mas um acessório ou auxílio que chega perto do ensinamento puro. No Ocidente, isso soa como um papel dúbio da medicina, porque a medicina científica, em essência, equivale a levar o carro ao mecânico para consertar. De fato, a abordagem mecanicista ensinada na faculdade de medicina é vista com orgulho: o bom médico ignora o mundo instável e pouco confiável dos sentimentos do paciente e de seus pensamentos, hábitos, tendências ou qualquer coisa que seja considerada subjetiva. Até a psiquiatria, que é a especialidade que atravessa a fronteira do mundo interior do paciente, se tornou, em grande medida, uma questão de relacionar sintomas com o medicamento adequado, ainda que se saiba que os tratamentos medicamentosos raramente curam – se é que curam – os transtornos mentais subjacentes.

Quando não estão no consultório médico, as pessoas passam pouquíssimo tempo do seu cotidiano examinando o estilo de vida em que foram criadas, muito menos buscando o ideal ayurvédico, que é ter consciência diária da mente, do corpo e das circunstâncias mutáveis. Essa consciência, no sentido da atenção plena (mindfulness), não é o mesmo que ficar ansioso com o que você come e com o modo como se sente. Quando se leva a sério o *"upa"* de *upaveda*, a rotina seguida todos os dias e a cada estação do ano ajuda a atingir um nível mais alto de bem-estar em todas as frentes.

Chegando agora ao foco deste livro, a medicina ocidental vem passando por sua própria revolução silenciosa com o surgimento da cronobiologia, o estudo do modo como o tempo afeta a fisiologia de maneiras brutais e sutis. Como os indícios provam cada vez mais, o timing, o momento em que se faz alguma coisa, rege tudo dentro do corpo. Cada processo em trilhões de células é regulado por um relógio interno ou biológico – muito parecido com aquele descrito nos textos védicos. De fato, a importância fundamental do ritmo circadiano (que ocorre em um período de 24 horas) talvez seja o elo entre as antigas práticas ayurvédicas e a cura da moderna epidemia de doenças crônicas.

Em 2017, três fisiologistas ganharam o Prêmio Nobel por quatro décadas de pesquisas para desvendar os mistérios do ritmo circadiano na biologia. Eles descobriram que o ritmo diurno da natureza afeta o funcionamento das células de plantas, animais e seres humanos – e até de algumas bactérias unicelulares. Genes específicos mudam a função celular de acordo com a hora do dia. Embora essa descoberta pareça esotérica, o novo campo da cronobiologia tem aplicações práticas com consequências revolucionárias para o futuro do bem-estar.

Já foi comprovado que escolhas de estilo de vida mudam a expressão de nosso DNA, mas o que aprendemos há pouco tempo é que não basta comer bem, exercitar-se algumas vezes por semana e ter um sono de qualidade. Como ensina o ayurveda há séculos, é preciso saber qual cronograma das atividades diárias funciona *a favor* de sua fisiologia e não contra ela.

É essa percepção que torna este livro um acréscimo tão valioso ao conhecimento crescente sobre o ayurveda no Ocidente. Apesar de todos os conselhos úteis sobre como prevenir problemas de saúde, a rotina de milhões de pessoas é trabalhar muitas horas, comer às pressas e dormir mal, com o celular ao lado da cama. A "doença do tempo" (*time sickness*) se infiltra na realidade cotidiana, ou seja, essas pessoas vivem de olho no relógio e estão sempre preocupadas com prazos e assoberbadas com uma lista imensa de demandas.

Essas expectativas nada realistas em torno do estilo de vida se tornaram algo aceitável, mas novas pesquisas médicas estão derrubando o pressuposto de que nosso corpo pode se adaptar ao anormal. O desequilíbrio crônico tornou-se uma situação comum que afeta todas as células, e os principais culpados são o estresse crônico e a inflamação de baixo grau. Se os palpites dos principais pesquisadores se confirmarem, talvez seja verdade que literalmente todos os transtornos ligados ao estilo de vida, como cardiopatia, obesidade, hipertensão e diabetes tipo 2, tenham instalado suas raízes anos ou décadas antes que os sintomas apareçam. Essas raízes são o desequilíbrio causado em nível sutil pelo estresse cotidiano, que já consideramos praticamente natural, e a inflamação crônica, tão escondida que poucas pessoas a notam.

A prescrição ayurvédica para o estado de desequilíbrio, que se aplica tanto ao estresse quanto à inflamação, é restaurar o equilíbrio e depois permitir que a preferência natural do corpo-mente por permanecer em equilíbrio faça o resto. Em termos práticos, precisamos mover, nutrir e descansar o corpo em sincronia com o ritmo da natureza. Quando fazemos isso, fica mais fácil adormecer à noite e nos levantarmos de manhã, manter um peso adequado e resistir a alimentos tentadores mas nada saudáveis. Também se torna mais fácil nos desligarmos das distrações e encontrar mais tempo para nossas metas pessoais.

O ayurveda ensina há milênios que existe uma conexão entre mente e corpo, baseada na unidade de todos os processos naturais. Hoje, o Dr. Suhas G. Kshirsagar lidera a próxima onda do ayurveda no Ocidente. Ao apresentar um conhecimento profundo da cronobiologia, este livro vislumbra um futuro no qual cuidar de si mesmo se tornará muito mais importante do que recorrer a um médico para consertar os danos depois que os sintomas aparecerem.

Quando o cuidado consigo mesmo se baseia na autoconsciência, nos aproximamos do ideal ayurvédico apresentado pelos antigos *rishis* ou sábios. Pessoas como o Dr. Kshirsagar mantêm vivo esse ideal e, o mais importante, promovem a evolução do autocuidado exatamente no momento em que se faz mais necessário. Eu o considero um *upaguru*, um mestre que se senta junto aos alunos e os guia com amor e compaixão.

1

NÃO É VOCÊ, SÃO SEUS HORÁRIOS

● ○ ● ●

Diga-me qual é sua rotina diária e eu lhe direi quanto você se sente saudável. Diga-me quando come e lhe direi se é fácil ou difícil para você manter o peso. Diga-me quando pratica exercícios físicos e lhe direi se está fortalecendo ou desgastando os sistemas de seu organismo. Diga-me quando desliga a televisão ou o computador à noite e lhe direi até que ponto você é sensível ao estresse. Diga-me a que horas pega no sono e lhe direi se precisa de café para ter mais energia à tarde ou se fica impaciente com as pessoas que ama no fim de um longo dia.

Parece magia, mas não é. Mais e mais pesquisas científicas revelam que nosso corpo está intimamente ligado ao ritmo circadiano de luz e escuridão até o nível celular. Esses estudos mostram que quando comemos é tão importante quanto o que comemos, que quando adormecemos é tão importante quanto o tempo que passamos dormindo e que quando malhamos é tão importante quanto o volume de exercícios que praticamos. O horário de nossas atividades diárias determina nosso peso, vigor, saúde geral e estado de espírito. Não acredita? Há décadas os pesquisadores do diabetes sabem que um modo simples de provocar obesidade em camundongos de laboratório é acordá-los e alimentá-los durante o ciclo do sono. Além disso, os camundongos engordam depois de uma semana se os pesquisadores simplesmente os expuserem à luz fraca quando deveriam estar dormindo.[1]

Ainda não acredita? Pense na última vez que viajou para longe e experimentou um jet lag. Como se sentiu? Quem já passou por um jet lag sabe que os sintomas podem ir muito além da alteração do sono. É comum ter prisão de ventre, dor de barriga, confusão cognitiva, pouca energia e aumento de sensibilidade ao estresse. Um estudo recente chegou a ligar o jet lag ao ganho de peso, porque a desorganização dos horários causada pelas viagens de longa distância confunde os micróbios do intestino.[2]

São justamente estes sintomas – ganho de peso, insônia, exaustão, estresse, depressão – que levam as pessoas à minha clínica. E, se você está lendo este livro, aposto que eles lhe parecem bastante familiares também. Por causa das exigências dos empregos modernos e da conectividade 24 horas por dia, sete dias por semana, muitos vivemos num estado constante de jet lag autoimposto: dormindo, comendo e fazendo exercícios em horários que não coincidem com o ritmo natural do corpo. Mas há uma boa notícia, e vou lhe dizer o que digo a todos os meus pacientes: *o problema não é você, são seus horários*. Há um modo mais fácil de emagrecer, ter mais energia e dormir melhor à noite. Se trabalhar a favor do ritmo natural de seu corpo e não contra ele, você pode criar um cronograma diário que transformará sua saúde e sua vida.

O ritmo circadiano

Os fisiologistas sabem que o corpo tem um ritmo natural, o chamado ritmo circadiano, que opera num ciclo de quase 24 horas e se reinicia toda manhã, quando você percebe a luz do dia. Esse ritmo indica ao corpo quando digerir os alimentos, como se preparar para dormir e como regular tudo no organismo, como pressão arterial, metabolismo, produção de hormônios, temperatura corporal e reparo celular. As células da pele também se reparam e se regeneram segundo um cronograma diário. Até a população de micróbios do trato intestinal muda profundamente no decorrer de um único dia. Certas cepas de bactérias intestinais proliferam durante o dia e outras predominam à noite.

A cada hora do dia, o funcionamento do corpo muda. As células e os sistemas são preparados para fazer coisas diferentes dependendo da hora do dia ou da noite. Assim, sabemos que você chega ao ciclo mais profundo do sono por volta das 2h e que a temperatura corporal é mais baixa perto das 4h. O aumento mais agudo da pressão arterial acontece lá pelas 6h45, e é mais provável que o intestino funcione às 8h30. Às 10h, o estado de alerta mental tem um pico, e a digestão opera com mais eficiência ao meio-dia. Coordenação, tempo de reação e força cardiovascular aumentam à tarde, enquanto a digestão se reduz. Depois do pôr do sol, a pressão atinge o ponto mais alto do dia, juntamente com a temperatura do corpo. Lá pelas 21h, o cérebro começa a liberar melatonina, e a velocidade da digestão cai pela metade. Às 22h30, os movimentos intestinais são suprimidos, e a digestão se arrasta. Isso acontece ou deveria acontecer todo dia. É por isso que o corpo fica tão confuso quando você atravessa fusos horários. A luz muda, e o organismo perde a bússola que controla todas essas funções corporais.

Isso é fascinante, porque nos achamos muito isolados da natureza. Vivemos em casas com temperatura controlada e trabalhamos em salas fechadas ou em cubículos dentro de espaços maiores fechados. Mesmo assim, todos os sistemas do corpo mudam num padrão diário previsível. Seu corpo está sempre tentando coordenar todos os seus sistemas segundo um relógio central, usando a luz natural disponível. Na natureza, todos os organismos operam dessa forma cíclica, e um novo campo da biologia chamado cronobiologia estuda as várias maneiras pelas quais organismos diferentes funcionam de acordo com o ritmo circadiano.

Hoje os pesquisadores estão estudando de que modo hábitos cotidianos interagem com o ritmo circadiano e já descobriram que os horários em que realizamos nossas atividades podem desorganizá-lo profundamente. Ficar acordado até tarde assistindo à TV ou trabalhando leva o corpo a pensar que a noite ainda não começou. Fazer uma refeição mais pesada à noite tem o mesmo efeito. São ações que retardam o ciclo e perturbam o sono, mas mesmo assim você força o corpo a despertar de manhã cedo quando o alarme toca. A falta de exercícios físicos e de luz natural desorganiza ainda mais o ritmo circadiano, o que, por sua vez, perturba tudo, da digestão à secreção de hormônios e ao sistema nervoso.

Muitos pacientes meus costumam ficar acordados até a meia-noite, trabalhando e beliscando algum lanchinho, e ainda se surpreendem quando só conseguem dormir depois de 1h. Então, saem da cama se arrastando às 6h e não entendem por que não conseguem comer nem se concentrar de manhã. Algumas horas de desvio do ritmo natural do corpo não parecem muita coisa, mas vejamos de outro ponto de vista: se você só dorme entre 1h e 6h, é como se atravessasse os Estados Unidos de Leste a Oeste e depois voltasse antes de trabalhar. Não surpreende que se sinta mal.

Muitos de nossos sintomas físicos mais comuns são criados ou exacerbados pelos horários modernos, que não combinam com as necessidades do corpo. Felizmente, os fisiologistas fizeram diversas pesquisas sobre o relógio biológico e o modo como o comportamento fortalece ou atrapalha os sinais enviados por esse relógio. Esse é o novo campo da cronobiologia, que aponta caminhos para criarmos um cronograma de atividades diárias que nos mantenha saudáveis e cheios de energia.

Como o seu corpo sabe as horas

Seu corpo sempre sabe que horas são, mesmo que você não saiba. Parece absurdo pensar que você não sabe que horas são. Provavelmente, você está hiperatento à hora em cada momento do dia. Tem que pegar o metrô ou deixar os filhos na escola. Tem uma reunião daqui a 15 minutos e um telefonema daqui a uma hora. Precisa chegar à lavanderia antes que feche. Você tem prazos para os projetos, reservas para o jantar e um despertador (ou dois) para acordá-lo toda manhã. Meus pacientes me dizem que estão sempre atentos ao tempo e que o relógio dita praticamente todas as atividades cotidianas.

Mas há dentro do corpo um tipo diferente de relógio que controla todas as células e sistemas. Para entender como ele funciona, é preciso entrar no cérebro e no hipotálamo.

O hipotálamo fica no centro do cérebro e é responsável por regular todos os sistemas do organismo. Ele ativa a reação de luta ou fuga quando você sente tensão ou detecta perigo. Ele lhe diz quando você está com fome ou com sede. Quando começa uma dieta de restrição, é o hipotálamo que lhe diz que você está passando fome por comer de forma diferente. Talvez você saiba que não está passando fome, mas o corpo sinaliza para o cérebro que não está recebendo a mesma quantidade de comida que recebia antes. Quando inicia uma nova rotina de exercícios físicos, o corpo avisa ao cérebro que está com fadiga muscular e estresse cardiovascular, e o hipotálamo insiste em que você pare. E, quando fica acordado até tarde trabalhando num projeto, é o hipotálamo que lhe diz que está com sono e entediado. Portanto, essa parte do cérebro consegue ler os sinais do corpo e tenta afetar seu comportamento para manter tudo igual ao que era ontem.

O hipotálamo também regula todo tipo de coisa que não controlamos conscientemente, como a temperatura do corpo, o equilíbrio hormonal e o metabolismo. Todas as mudanças nesses parâmetros acontecem em horas previsíveis do dia. Por exemplo, a temperatura do corpo é mais alta ao anoitecer; depois, cai durante a noite e chega ao ponto mais baixo pouco antes da aurora. A pressão arterial tem um aumento súbito quando acordamos pela manhã e depois vai aumentando aos poucos no decorrer do dia para cair durante a noite. O aumento rápido da pressão pela manhã acontece na hora em que as plaquetas do sangue têm mais aderência, o que explica por que tantos infartos acontecem de manhã cedo. O nível de cortisol também muda em horas previsíveis. O cortisol é um esteroide produzido pelo próprio organismo. Também chamado de "hormônio do estresse", chega ao nível mais baixo quando vamos nos deitar e se acumula durante a noite. Ele é parcialmente responsável pela resposta inflamatória do organismo, e não é por acaso que suas dores pioram quando você se levanta ou que você se sente mais inchado pela manhã. O nível de cortisol vai diminuindo ao longo do dia e sobe levemente depois de cada refeição.

A motilidade colônica, que é um nome rebuscado para os movimentos do intestino, também muda ao longo do dia. De manhã cedo, o cólon acorda e se move no triplo do nível normal de atividade, com resultados previsíveis. É por isso que tanta gente tem prisão de ventre quando está passando por jet lag. O horário inadequado das refeições também confunde o cólon. À noite, o cólon descansa, e os movimentos intestinais são suprimidos. O humor e as ondas cerebrais também se alteram no decorrer do dia e da noite.

Para regular os sistemas do organismo, seu hipotálamo recebe dicas tanto dos tecidos e órgãos do corpo como do ambiente. Quando sente cheiro de comida, você tem fome; quando vislumbra o perigo, fica tenso e com energia para agir. Tudo isso é verdade. Mas não vamos esquecer o sinal mais insidioso que o cérebro absorve o dia inteiro: a presença de luz.

Há uma parte pequena do hipotálamo, chamada núcleo supraquiasmático (NSQ), encarregada de notar a luz. Tem mais ou menos o tamanho de um grão de arroz e contém cerca de 20 mil neurônios. Os fisiologistas entenderam há tempos que esses neurônios reagem à luminosidade e regulam os sistemas do organismo com base na luz e na escuridão. Quando a claridade atinge a retina do olho pela manhã, o NSQ avisa ao corpo que amanheceu. À noite, o NSQ manda um sinal para a produção natural de melatonina do corpo, que nos diz quando está na hora de dormir. Mas só nos últimos 20 anos os pesquisadores observaram o poder que esse minúsculo aglomerado de neurônios exerce sobre cada célula e cada sistema do corpo.

Uma breve história da cronobiologia

Para compreendermos melhor o campo da cronobiologia, temos que voltar quase 300 anos no tempo, até um experimento realizado pelo cientista francês Jean-Jacques d'Ortous de Mairan. Em 1729, Mairan se interessou pelo modo como algumas plantas abrem as folhas à luz do sol e as fecham à noite. Então ele expôs essas plantas à escuridão constante e as observou. Elas continuaram a abrir as folhas pela manhã e fechá-las à noite, embora estivesse escuro o tempo todo. As folhas se moviam como se esperassem a luz do sol, que nunca vinha. Mairan ficou perplexo, assim como os muitos pesquisadores que reproduziram a experiência. Outro cientista se referiu ao fechamento das folhas como um tipo de "sono vegetal". As plantas continuavam a abrir e fechar as folhas na hora certa durante muitos dias depois que a luz solar era bloqueada.

Mairan se perguntou se as plantas conseguiam sentir de algum modo a luz do sol acima da superfície. Ele não chegou ao ponto de sugerir que as plantas tinham uma predisposição celular a abrir as folhas em determinada hora; sugerir uma coisa dessas seria heresia – e continuaria a ser por mais uns 200 anos. Em vez disso, ele se perguntou se variações ambientais na temperatura ou na rotação da Terra configuravam o comportamento dessas plantas.

Um mistério maior era por que o ritmo natural de abertura e fechamento das folhas não seguia um período de 24 horas. Finalmente, quando conseguiram estudar as plantas com mais rigor, os cientistas constataram que esses movimentos se tornavam menos pronunciados na escuridão total e que as plantas abriam e fechavam as folhas num ciclo de 22 horas. Mas, quando podiam sentir a luz, elas voltavam ao ciclo de 24 horas. Isso indicava que havia alguma predisposição biológica de se mover prevendo a luz e que a luz em si as ajudava a sincronizar seu relógio interno.

Era fácil teorizar o modo como a luz e a escuridão afetam as plantas porque elas precisam de luz, mas seria necessário um tipo específico de cientista para notar que outros organismos, como os mamíferos, também usam a luz para alterar suas funções fisiológicas.

Esse cientista foi um jovem médico romeno chamado Franz Halberg, que terminava uma bolsa de pesquisa em Harvard no fim da década de 1940 quando começou a monitorar o nível de leucócitos em circulação no sangue dos camundongos. Ele continuou a pesquisa na Universidade de Minnesota, onde notou que a contagem de leucócitos tinha um pico durante o dia e caía à noite. Diferentes variedades de camundongos tinham níveis diferentes de leucócitos no sangue, mas todos mostravam o mesmo padrão de aumento acentuado durante o dia e queda semelhante à noite. Depois Halberg passou a monitorar as flutuações horárias de pressão arterial e frequência cardíaca nos camundongos, além da temperatura corporal, e descobriu que essas reações fisiológicas variavam num cronograma similar de 24 horas. Em 1959, ele cunhou a expressão "ritmo circadiano" para explicar essas mudanças. Nas décadas seguintes, teorizou e depois comprovou variações similares em seres humanos.[3]

Halberg descobriu que uma série de processos fisiológicos – como a temperatura corporal, a produção de hormônios, a contagem de leucócitos, a pressão arterial, a frequência cardíaca, o nível de glicogênio no fígado e até a divisão celular – varia segundo padrões previsíveis, aparentemente dependentes da luz. Mas a pesquisa genética ainda estava engatinhando, e poucos pesquisadores queriam acreditar que o corpo contivesse um relógio interno que variava de acordo com a hora do dia ou as estações do ano.

Halberg tinha certeza de que as flutuações dentro desses padrões eram possíveis marcadores de doenças. Ele acreditava que monitorar constantemente a pressão arterial permitiria uma previsão melhor de infartos e derrames do que uma única medição no consultório médico. Foi por isso que monitorou a própria pressão de meia em meia hora todos os dias nos últimos 15 anos de vida. Talvez tivesse certa razão, já que viveu até os 94 anos.

Ele também teorizou que os tratamentos anticâncer seriam mais eficazes quando a temperatura do núcleo do tumor fosse mais alta. Ele acreditava que o corpo funcionava inteiramente segundo um ritmo circadiano e que nutricionistas e médicos deveriam levar em conta esse ritmo como parte de qualquer plano de tratamento. E, embora centros de cronobiologia tenham brotado nas maiores instituições de pesquisa do mundo inteiro, foi difícil provar a eficácia dessas teorias até o finalzinho do século XX. O próprio Halberg teve dificuldade em obter financiamento para seus estudos e conseguir que a cronobiologia fosse ensinada nas faculdades de medicina.

Seria tentador dizer que o resto da comunidade médica desprezou essas teorias. Mas a verdade é que, na época, saía caro monitorar constantemente a pressão arterial, as contagens sanguíneas, a absorção da glicose no fígado e outras reações fisiológicas. As teorias de Halberg estavam bem além da tecnologia, e caberia aos geneticistas explorar essas ideias e descobrir exatamente como as células do corpo conseguem se coordenar com o NSQ a cada dia e noite.

Os genes do relógio

Hoje sabemos que as células do corpo contêm os chamados "genes do relógio". Eles têm nomes específicos, como PER1, PER2, PER3, que são ativos à noite, ou CLOCK e BMAL1, ativos durante o dia. Esses genes funcionam numa espécie de circuito fechado ou loop. A atividade de um deles inibe a atividade de outro. As células são preparadas para fazer coisas diferentes com base nos ciclos diários de luz e escuridão. E as vias proteicas de cada uma dessas células ficam ativas ou inativas de acordo com a hora do dia.

Toda manhã, quando você abre os olhos e vê a luz do sol, seu NSQ dá o sinal para reiniciar o relógio biológico e envia informações a todos os sistemas do corpo e a todos os órgãos e tecidos para dizer que é dia outra vez.

E esse relógio determina as mudanças fisiológicas automáticas que têm que ocorrer no momento certo das 24 horas seguintes para o organismo funcionar. Dessa maneira, o NSQ é o relógio do cérebro. Ou talvez devêssemos dizer que é o maestro do cérebro e todas as células do corpo tentam dançar de acordo com o ritmo ditado por ele.

Enquanto o relógio-mor do cérebro tenta estabelecer um ritmo corporal total, as células do corpo reagem ao seu comportamento – sua hora de dormir, sua hora de comer, sua atividade – para estabelecer o ritmo dos próprios relógios. Quando o relógio do cérebro e esses relógios celulares, chamados de "relógios periféricos", se desalinham, pode haver comportamentos celulares distorcidos. Lembra-se daqueles camundongos que engordavam quando eram alimentados durante o ciclo do sono? O corpo deles operava fora do ritmo circadiano principal, absorvendo nutrientes que as células do sistema digestivo não podiam processar. E a redução do período de sono fez com que, em nível celular, sistemas inteiros do organismo parassem de funcionar do jeito que deveriam. Isso provoca perturbações não só no processo digestivo, mas na produção de hormônios, na resposta imune e na resposta inflamatória.

Como podemos imaginar, isso redefine inteiramente o campo da epigenética e o modo como nossos comportamentos afetam e alteram a expressão gênica com o passar do tempo. Como campo de estudo, a cronobiologia ainda é nova, mas os genes do relógio parecem ter efeito sobre o envelhecimento e a supressão de tumores, além do metabolismo. Comer e dormir na hora errada perturba o ritmo circadiano e interfere no metabolismo saudável e na resposta imune forte. Embora os cientistas ainda estejam verificando várias nuances e aplicações em tratamentos clínicos, o que sabemos com certeza é que você pode estabelecer uma programação diária de atividades que reforce o ritmo circadiano e melhore a saúde.

Mesmo sem a presença de luz toda manhã, seu corpo tentaria funcionar naquele mesmo cronograma de 24 horas. Na década de 1970, os pesquisadores fizeram experiências com pessoas que concordaram em viver isoladas, sem exposição diária à luz natural. Alguns achados surgiram dessas experiências com o passar das décadas. Primeiro, o relógio biológico fica à deriva sem o reajuste diário de luz natural e escuridão. O meio primário pelo qual o organismo ajusta seu ritmo circadiano é a luz. Segundo, o corpo pode usar deixas sociais, como o horário das refeições, do sono e dos exercícios, como substitutas quando os sinais de luz estão ausentes.

Todas as tentativas do organismo de sincronizar seus sistemas num único ritmo circadiano principal se chamam *entrainment* ou arrastamento. O corpo confia em sinais para reajustar o ritmo circadiano e se manter funcionando da melhor forma. Embora prefira usar luz e escuridão como sinais primários, pode e usa outras deixas, inclusive nosso comportamento. Tudo o que você faz o dia inteiro ajuda (ou atrapalha) o relógio circadiano principal a sincronizar as funções do organismo. Por isso, criar um cronograma diário que reforce o ritmo natural do corpo é o hábito saudável mais poderoso que você pode adotar.

Não é só o corpo humano que tenta estabelecer um ritmo diário. Toda a natureza segue o mesmo padrão diurno. As plantas de Mairan abriam as folhas prevendo a chegada da luz, mesmo que isso nunca acontecesse. Suas células continuavam tentando manter o ritmo diário. Muitos tipos de célula são encarregados de fazer um conjunto de coisas durante o dia e outro durante a noite. Isso acontece com mamíferos, plantas e até com as menores bactérias unicelulares. Nos últimos 30 anos, a pesquisa genética e a microbiologia transformaram o estudo desses ritmos naturais. Os cientistas vêm trabalhando para descobrir os genes do relógio dentro das células e o modo como funcionam nos níveis neurológico e molecular em todos os tipos de organismo.

Saber que as células operam de forma diferente em horas diferentes num ciclo de 24 horas tem implicações em muitos campos. O estudo do ritmo circadiano e da cronobiologia pode mudar muitos tipos de tratamento médico. Por exemplo, se você precisar tomar uma estatina de curta duração para baixar o nível de colesterol, o médico provavelmente lhe dirá para tomá-la à noite. Por quê? Porque os cronofarmacologistas sabem que é quando o fígado produz colesterol. Os estudiosos estão procurando o limite das maneiras pelas quais o ritmo circadiano regula os sistemas biológicos em todas as coisas vivas, mas ainda não o encontraram. Um pesquisador observou que deveríamos supor que todos os sistemas do organismo funcionam segundo o ritmo circadiano até prova em contrário.

Ayurveda e cronobiologia

Embora esses achados da pesquisa baseada na cronobiologia ainda sejam recentes, na verdade eles reforçam o que venho praticando há décadas na medicina ayurvédica. O ayurveda é uma tradição de cura natural praticada na Índia há cerca de 5 mil anos. Muito antes de Mairan se perguntar sobre as plantas e seu estranho comportamento, os médicos ayurvédicos já orientavam os pacientes sobre o ciclo diário do corpo e de seus muitos sistemas.

O ayurveda separa o dia em segmentos que descrevem a energia e os sistemas do organismo como ativos ou suspensos. Ele ensina que é preciso ter um cronograma de atividades saudável para viver bem. De fato, o ayurveda enfatiza que todos os nossos comportamentos, como alimentação, repouso e prática de exercícios, têm que trabalhar em conjunto com o relógio biológico principal para manter o corpo funcionando direito. Ele também indica como alcançar uma conexão corpo-mente de modo a permanecermos em contato com o que o corpo precisa ao longo do dia.

O ayurveda é também chamado de medicina do estilo de vida. Traduzido literalmente como "ciência da vida", é o precursor de todas as outras tradições de cura, inclusive da medicina tradicional chinesa. Quando o budismo se espalhou pela Ásia, seus estudiosos levaram consigo o conhecimento ayurvédico. Na medicina tradicional chinesa, os praticantes ensinam que o equilíbrio é essencial, que o fluxo de *chi* pelo corpo facilita a cura e que o sabor da comida faz parte de seu efeito de cura e equilíbrio. Essas ideias foram influenciadas pelo ayurveda. Até os gregos leram os textos ayurvédicos e extraíram deles parte da sabedoria para configurar suas ideias sobre o funcionamento do organismo. *Prana*, palavra sânscrita que significa sopro da vida, tornou-se *pneuma* para os gregos. *Agni*, o jogo, ou calor, do metabolismo e da digestão, se tornou *ignis*. E, de algum modo, os três *doshas*, ou energias predominantes, se tornaram três dos quatro humores ou agentes metabólicos: fleuma, cólera e melancolia. Nos primeiros textos ayurvédicos, um estudioso concluiu que o sangue era o quarto *dosha*, e os gregos aparentemente concordaram, embora mais tarde os estudiosos ayurvédicos voltassem aos três *doshas*. Os gregos acreditavam que esses humores ou tendências precisavam ser equilibrados e que a perturbação ou a superabundância de um deles era a causa de muitas doenças, ideias tomadas de empréstimo ao ayurveda.

Mas poucas tradições de cura natural exploram o efeito da luz natural sobre o corpo. O ayurveda é o único a explicar que os sistemas do organismo operam num ciclo diário. Ele descreve uma rotina diurna, uma rotina noturna e uma rotina sazonal para sincronizar seu corpo com o relógio circadiano. A palavra "cronobiologia" pode ser relativamente nova na medicina ocidental, mas é parte essencial da tradição ayurvédica. Os textos esclarecem de que modo nosso organismo interage constantemente com a luz do sol e a mudança das estações. Mostram como sincronizar a rotina diária com essa mudança da luz natural. Talvez seja a única tradição médica que fala de organizar a rotina diária para obter saúde em todas as épocas da vida.

Além disso, é uma das poucas tradições que falam do tipo corporal e de como ele se manifesta em determinados problemas de saúde. Isso é importante porque muitas orientações de saúde e alimentação pressupõem que todo mundo é mais ou menos igual na necessidade de sono, exercícios e comida. Se você estiver numa sala cheia de gente, olhe em volta e veja que seu corpo não é igual ao de ninguém. No ayurveda não há o conceito de uma rotina única de alimentação ou de exercícios físicos que seja boa para todos. Embora todos devam saber como criar um cronograma adequado, nem todo mundo precisa exatamente da mesma rotina de alimentação e exercícios dentro dessa programação para obter o melhor resultado.

Neste livro, descreverei por que você precisa dormir bem e listarei todos os benefícios surpreendentes do sono de qualidade; e no próximo capítulo ajudarei você a identificar e vencer suas dificuldades de sono específicas. Farei o mesmo com a alimentação e os exercícios.

Com um determinado tipo de corpo você terá dificuldade para emagrecer, mas nunca terá insônia. Alguém com outro tipo de corpo talvez nunca tenha se preocupado com o peso, mas a dor de cabeça e a insônia são uma maldição. Existem respostas para todas essas preocupações. Assim, se você já tentou se exercitar e não conseguiu manter o hábito, talvez descubra por que e como resolver esse problema. Se experimentou dietas e elas não deram certo, provavelmente é porque não encontrou a dieta adequada ao seu tipo de corpo.

No ayurveda, tentamos equilibrar o corpo como um todo; mas também olhamos o indivíduo e resolvemos os problemas exacerbados por seu tipo corporal. Dessa maneira, você pode criar um cronograma diário que reforce o ritmo central de seu organismo e ajustá-lo para que a alimentação, o sono e a prática de exercícios não exijam grandes esforços.

Antes, porém, quero lhe mostrar como parar de atrapalhar seu ritmo circadiano. Quando fizer o relógio biológico trabalhar a seu favor, você verá sua saúde melhorar rapidamente.

2

O RELÓGIO BIOLÓGICO

O que você faz a cada hora do dia?

Essa é a primeira pergunta que faço a quem vem a meu consultório. Muita gente não sabe o que faz num dia normal – e isso pode acontecer com você também. Você sabe quando o despertador toca de manhã e quantas horas passa trabalhando, mas talvez não saiba a que horas costuma fazer as refeições diariamente. Não sabe quando geralmente adormece, mesmo que saiba a que programas de televisão assiste à noite. É fácil supor que seu horário de trabalho dita quando você come, quanto você descansa e quando se exercita. Ao fazer isso, você deixa de dar ao organismo os sinais previsíveis de que ele precisa para funcionar com eficiência.

Se em alguns dias você almoça às 11h30, e em outros, às 13h30, seu corpo já fica confuso. Se permanece acordado até tarde em algumas noites para terminar uma tarefa ou malhar, seu corpo não sabe quando nem como se preparar para dormir.

Para entender como seus horários estão afetando sua saúde, primeiro é preciso saber quais são esses horários. Em segundo lugar, você precisa fazer a si mesmo duas perguntas básicas: 1) Estou obtendo sete horas de sono ininterrupto quando está escuro lá fora? 2) Estou fazendo quase todas as refeições quando está claro lá fora? A maioria das pessoas não responde sim a ambas – e isso é um problema.

Rory, um de meus pacientes, é um bom exemplo do impacto que os horários têm sobre o bem-estar geral. Desenvolvedor de software do Vale do Silício, com filhos pequenos, Rory conseguia fazer todas as coisas "certas": exercitava-se diariamente, seguia uma alimentação rica em proteínas e pobre em calorias, com muitos legumes e verduras, e até tinha tempo para a família. Mas, apesar das escolhas que ele considerava saudáveis no contexto de um emprego exigente, as dores de estômago estavam ficando mais incômodas e ele tinha dificuldade para adormecer antes das 2h ou 2h30. Nas noites em que conseguia dormir, acordava por volta das 4h com ansiedade e dor.

Quando começamos a conversar não só sobre o que ele fazia mas sobre quando fazia, o resto do quebra-cabeça se encaixou. Rory descreveu um dia típico em que se levantava para trabalhar às 7h. Como em geral não sentia fome de manhã, costumava tomar um café para se segurar até o shake de proteína que consumia depois do treino na academia, às 13h. Ia para casa no fim da tarde para ficar com a mulher e os filhos, e eles jantavam por volta das 20h. Depois que as crianças iam dormir, ele preparava um bule de café e ficava acordado pelo menos até meia-noite – às vezes até bem mais tarde – para trabalhar num projeto especial em cooperação com outros desenvolvedores que ficavam na Índia.

Como a maioria das pessoas, Rory não fazia ideia de que os horários em que realizava suas atividades eram a causa de seus problemas de saúde. Quem acha que comida é só combustível come a qualquer hora. Pular refeições é só poupar calorias para mais tarde. Um shake de proteína parece ser uma opção saudável, não importa a que horas você o consuma. Se exercício faz bem, só pode fazer bem, não importa a hora da prática. Para muitos profissionais ocupados e ambiciosos, dormir é aquela coisa que a gente faz quando não tem mais nada na agenda.

Isso tudo está muito errado.

Seu estilo de vida não é a soma de quantas calorias você consumiu num único dia, quantos minutos se exercitou na esteira na semana passada e quantas horas costuma dormir. Em vez disso, é a coordenação dessas coisas com as necessidades do organismo em cada momento do dia. Rory pulava algumas refeições e substituía outras por coisas leves. Exercitava-se quando o corpo não podia se beneficiar da atividade cansativa. E comia e trabalhava tarde da noite, privando-se de um sono reparador. No capítulo anterior, falei sobre a noção cronobiológica do ritmo circadiano do organismo. Agora descreverei a visão do ayurveda desse mesmo relógio biológico. Talvez você as considere estranhamente parecidas.

O dia ayurvédico

No ayurveda, o dia é separado em seis segmentos que delineiam as necessidades do organismo. Os textos originais são bastante detalhados, mas até mesmo esta visão geral lhe dará uma compreensão sobre como o corpo segue padrões diários circulares. Algumas vezes, as descrições parecem extremamente poéticas ou até simplistas, mas é importante ver que esses ensinamentos põem o corpo no centro de um ciclo diário, algo que os especialistas em cronobiologia confirmam a cada novo estudo que publicam – em que Rory nunca pensou.

> DAS 6H ÀS 10H, temos o predomínio da energia *kapha*, com as qualidades que associamos à água e à terra. Isso significa que o corpo pode estar um pouco entorpecido e pesado, propenso a reter água ou gerar congestão. A mente e o corpo ainda estão despertando com o surgimento da luz e precisam de um choque de exercícios, de meditação e de alimento para se sincronizar com o novo dia. Quando equilibrada com um pouco de exercício e comida nessa hora do dia, a energia *kapha* deixa de ser entorpecida e se torna uma influência firme e calmante em seu trabalho matutino.
>
> DAS 10H ÀS 14H, o predomínio é da energia *pitta*, com qualidades que associamos ao fogo e à água. Nesse período do dia, tanto a mente quanto a digestão estão a pleno vapor. É um bom momento para a maior refeição do dia e para o trabalho mais intenso. Seu corpo não precisa de exercícios nesse horário porque você já está bem acordado. Além disso, o organismo tem que manter o fluxo de sangue concentrado no sistema digestivo, para

que o corpo possa fazer o serviço de converter comida em energia. Essa energia *pitta* também deixa as pessoas um pouco mais entusiasmadas e irritadiças. Talvez você diga que o mau humor do meio-dia é sintoma de glicemia baixa, mas há algo mais em ação aí.

Das 14h às 18h, o predomínio é da energia *vata*, com qualidades que associamos ao ar e ao éter. É o período dos reflexos rápidos e do pensamento ágil. Também é a hora do dia em que algumas pessoas ficam distraídas ou desidratadas. Se você não comeu o suficiente pela manhã nem ao meio-dia, essa energia leve e rápida pode se transformar em tremores e ansiedade, e é por isso que as pessoas recorrem a café e lanchinhos nesse momento. Se não tiver se estruturado com comida e exercícios mais cedo, essa leveza vai arrastá-lo e tornar impossível se concentrar. A energia natural do corpo vem em ondas no fim da tarde, e talvez você perceba que precisa de mais repouso entre as tarefas. É bom se manter hidratado e minimizar as distrações.

Das 18h às 22h é o momento em que a energia volta a ser *kapha*. O corpo fica um pouco pesado e entorpecido outra vez, preparando-se para dormir enquanto o sol se põe. Às 18h, a digestão já está desacelerando, então essa é a hora errada de sobrecarregar o corpo com calorias. A mente está passando do estilo de pensamento rápido e fácil de se distrair para algo mais firme, e algumas pessoas dizem que preferem trabalhar depois das 18h porque adoram essa sensação de energia mais estável. Mas é fácil sobrecarregar a mente e tornar o sono impossível mais tarde, quando você precisar. Em vez disso, é melhor fazer uma refeição bem leve no início desse período e passar o resto do tempo dedicando-se apenas a atividades relaxantes. Ao final desse período, é bom estar pronto para dormir.

Das 22h às 2h predomina novamente a energia *pitta*. O corpo está mesmo em chamas, mas de um jeito muito diferente do que fica durante o dia. Agora o cérebro quer gerar ciclos de sono ainda mais profundos, na tentativa de repousar e se desintoxicar. Enquanto a energia *pitta* diurna se concentra na digestão, a noturna desacelera o processo digestivo. O fígado e as suprarrenais se põem a trabalhar. O organismo transforma aquela nutrição bruta em hormônios e enzimas de que precisa para funcionar no dia seguinte. Se for dormir no início desse ciclo, fará essa energia *pitta* trabalhar a favor do seu corpo. Mas muita gente fica acordada trabalhando até meia-noite ou mais. Dizem que têm novo ânimo e, de repente, se sentem mais acordados do que às 22h30. Não sabem por quê, mas eu sei que é porque gostam de surfar nessa onda *pitta*. Ficar acordado até tarde não significa que você seja naturalmente uma pessoa noturna. Só significa que a vontade de dormir é mais ou menos como um trem: ela para e sai da estação num horário previsível. Muitos desses "corujões" se curariam da insônia (assim como de muitos outros problemas de saúde) se embarcassem no trem das 22h30. Se fizer isso, seu corpo lhe agradecerá de várias maneiras.

DAS 2H ÀS 6H é outro período *vata*. Aqui o sono fica mais leve, e os sonhos, mais vivos. O corpo se prepara para o ciclo ativo do dia. Se você já foi acordado nessas primeiras horas, sabe que desperta instantaneamente, sentindo a cabeça leve em vez de zonza. É novamente a hora dos reflexos rápidos e do pensamento ágil, e algumas pessoas têm o tipo de insônia em que acordam nesse período com a mente acelerada. Falarei sobre o combate à insônia num capítulo posterior, mas é preciso lembrar que é mais fácil acordar de manhã antes das 6h do que depois das 6h, quando a energia *kapha* volta a predominar.

Você pode ver que as necessidades do organismo mudam profundamente no decorrer do dia e da noite. A programação do seu dia provavelmente não combina com o que o seu corpo exige para funcionar com eficiência. E não é só para comer e dormir que existem horários ideais. Você pode distribuir seu volume de trabalho ao longo do expediente de modo a aproveitar melhor a energia natural do organismo.

Uma paciente me relatou que participava de uma reunião de equipe todo dia às 11h, no período *pitta* do dia. As pessoas chegavam irritadas e intolerantes todos os dias, uma situação exacerbada pela proximidade da hora do almoço. Quando aprendeu os horários ayurvédicos, minha paciente reagendou essa reunião diária para as 14h. Mais tarde, ela me disse que todo mundo parecia muito mais calmo e criativo. Era a mesma equipe discutindo os mesmos problemas, mas numa hora diferente do dia, quando tinham mais capacidade de encontrar soluções sem brigar.

● ○ ◐ ●

Do ponto de vista ayurvédico (e fisiológico), Rory tinha alguns problemas graves. Primeiro, exercitava-se ao meio-dia, tirando o fluxo de sangue do sistema digestivo e o enviando para os músculos e as extremidades. Pense no horário de meio-dia como a melhor oportunidade de inserir nutrientes densos no organismo. É quando seu sistema digestivo está – ou deveria estar – pegando fogo. Substituir essa refeição do meio-dia por um shake de proteína vai roubar do corpo todos os nutrientes de que precisa para o resto do dia e a noite e deixá-lo esgotado no dia seguinte. É melhor se exercitar mais cedo e fazer uma refeição substancial ao meio-dia.

O segundo problema era jantar às 20h. Isso é depois de escurecer, quando o sistema digestivo deveria estar se desligando. Se você o sobrecarregar de comida, essa comida não será digerida com eficiência e, provavelmente, ficará no estômago, provocando indigestão e mantendo-o acordado.

O terceiro problema era trabalhar no computador até meia-noite. Do ponto de vista de Rory, essa era a hora ideal para trabalhar, porque tarde da noite ele tinha muita energia e poucas distrações. Mas o cérebro precisa de repouso, e o momento ideal para começar esse ciclo de descanso é muito antes da meia-noite. Quando examinar seus horários, tenha em mente esses segmentos do dia para equilibrar melhor seu fluxo de trabalho com as necessidades do organismo.

Os benefícios de uma programação diária saudável

A maioria dos meus pacientes está acostumada a pôr o trabalho no centro do cronograma diário. Tentam gerenciar o expediente de forma a realizar mais. Pouca gente considera organizar o dia de modo que as necessidades do corpo venham em primeiro lugar. Pensamos nos hábitos de saúde de forma isolada. Você quer emagrecer, então muda a alimentação. Ou quer entrar em forma e muda a rotina de exercícios. Minha sugestão é pôr todos os hábitos de saúde num único cronograma e fazer dele o centro do seu dia, porque esses hábitos funcionam juntos. O sono afeta o peso e a forma física. A alimentação afeta o sono e a clareza mental. Os exercícios diários melhoram o sono, o nível de energia e as escolhas alimentares.

Há dois benefícios principais em organizar seus horários segundo o ritmo circadiano. A maior parte dos meus pacientes quer emagrecer. E, ainda que achem que não precisam perder peso, quando mudamos seus horários eles emagrecem assim mesmo. O segundo problema de muita gente é a fadiga generalizada, outra epidemia mundial. Ela pode se apresentar como indisposição, falta de energia ou até depressão leve. Mas trabalhar a favor do relógio biológico e corrigir os problemas em torno do ritmo circadiano também permitirão que você acesse novas reservas de energia.

Use o relógio biológico para emagrecer

Adam me procurou porque, como muita gente, queria emagrecer um pouco. Ele me disse que ganhara uns 15 quilos no decorrer dos últimos 10 anos, enquanto montava sua empresa de construção civil. Os dias eram naturalmente ocupados, com reuniões e telefonemas, e ele passava boa parte do tempo visitando obras. O ganho de peso o incomodava, e ele não conseguia descobrir o que o causava. Ficava ativo o dia inteiro, muitas vezes fazendo trabalho braçal, e reduzira a ingestão de calorias. Aquilo não estava funcionando para ele. A esposa, que era minha paciente, lhe sugerira que me consultasse, e ele concordara com relutância.

Quando perguntei a Adam como era o seu dia, ele me contou uma história bem conhecida. Somava as calorias de tudo o que comia num dia normal e costumava pular o café da manhã. Em dias mais ocupados, pulava até o almoço, e compensava no meio da tarde comendo um sanduíche comprado na rua ou um pacote de batatas chips.

O mais revelador para mim foi ouvir Adam falar de sua hora favorita do dia, que era tarde da noite. Isso acontece com muita gente que trabalha duro. Ele me disse que trabalhava muito o dia inteiro, supervisionando pessoas, conferindo detalhes e até metendo a mão na massa para ajudar a terminar um serviço no prazo. À noite, chegava em casa exausto, às vezes às 20h30, tomava um banho, conversava um pouco com a família e esperava que fossem dormir. Aquela era sua hora favorita do dia, porque ele tinha a casa só para si. Esquentava uma refeição congelada por volta das 22h e ficava assistindo à televisão até 0h30 ou 1h, e só ia para cama quando começava a se sentir entediado ou sonolento. Em consequência, estava dormindo cerca de cinco horas por noite, mas ficava na cama até tarde sempre que podia, imaginando que recuperaria o sono nos fins de semana e nos dias de folga.

Ele achava que estava fazendo todo o possível para emagrecer, apesar dos pãezinhos e biscoitos que comia. Mas precisava parar de pensar somente em termos de quantas calorias consumia e queimava durante o dia. Isso não o estava ajudando em nada.

Para emagrecer, é preciso trabalhar a favor do relógio biológico, absorvendo energia quando o organismo pode processá-la melhor e evitando comida quando o corpo está se desligando para encerrar o dia.

Pare de contar calorias. Muitos pacientes meus contam calorias informalmente o dia todo. A maioria das pessoas faz isso. Se alguém lhe oferece um chocolate, você olha a embalagem para ver quantas calorias contém. Se vai jantar fora, talvez pule o almoço, pensando em poupar essas calorias para mais tarde.

Pensamos até nos exercícios em termos de queima de calorias. Muita gente decorou o número de calorias que pode queimar correndo ou caminhando um quilômetro ou fazendo uma aula de ioga. Se você subir na esteira e digitar seu peso, o visor mostrará uma estimativa em tempo real do número de calorias queimadas durante o exercício. Aparelhos populares para acompanhar exercícios, como monitores cardíacos ou relógios inteligentes, dão as mesmas informações sobre calorias queimadas. Vários aplicativos para celular também ajudam a acompanhar calorias, gramas de gordura e gramas de carboidrato.

No entanto, quando se concentra em calorias, você trata o corpo como uma simples máquina e esquece que suas células e sistemas interagem de forma complexa. Em vez disso, concentre-se no horário das refeições e nos nutrientes da comida. Falarei mais sobre isso no Capítulo 7, quando mostrarei o tipo de alimento certo para o seu corpo.

Passe a comer cedo. Por causa da rotina acelerada, muitas pessoas fazem a maior refeição do dia à noite – às vezes tarde da noite, como Adam. É um erro fácil de cometer quando se supõe que o organismo processa todas as calorias do mesmo jeito, independentemente do horário. Os pesquisadores da obesidade estão começando a dizer que o horário das refeições é o elo que falta para manter o peso saudável.

Um estudo recente e contundente demonstrou como isso pode funcionar. Na Espanha, pesquisadores acompanharam os hábitos alimentares de 420 homens e mulheres com sobrepeso que queriam emagrecer. Os participantes foram divididos em dois grupos: os que comiam cedo e os que comiam tarde. Na Espanha, a principal refeição do dia é o almoço, quando as pessoas consomem cerca de 40% da ingestão diária de alimentos. Os que comiam cedo foram definidos como os que faziam a maior refeição antes das 15h, e os que comiam tarde consumiam a maior refeição depois desse horário. A princípio, os dois grupos emagreceram um pouco, mas, com o desenrolar do estudo, os que faziam a maior refeição depois das 15h pararam de emagrecer, apesar da alimentação saudável. Os que faziam a maior refeição mais perto do meio-dia continuaram emagrecendo e, no fim do estudo, tinham perdido 22% mais peso do que os que comiam tarde. Isso foi constatado apesar de os dois grupos ingerirem mais ou menos a mesma quantidade total de calorias.[1] Foi o primeiro estudo em grande escala a indicar que o horário das refeições afeta a perda de peso.

Ao comer mais tarde, seu organismo sofre um grande pico de glicemia numa hora em que está mais propenso a armazenar a glicose como gordura. Mas, se fizer a maior refeição ao meio-dia, seu organismo terá mais tempo de queimar essa energia em vez de armazená-la.

Deixe de ver TV tarde da noite. Talvez você saiba que a atividade cerebral muda drasticamente durante o ciclo do sono, alternando o sono profundo e restaurador e o sono REM, mais leve e com sonhos. O que você talvez não saiba é que os ciclos mais profundos e restauradores do sono ocorrem entre as 22h e as 2h. É nesse momento que o cérebro se limpa, as células dos diversos sistemas se reparam e a memória e o aprendizado se consolidam. Ficar acordado nesse horário interfere nessas tarefas importantes e vai deixá-lo desatento no dia seguinte. Também pode ajudar a engordar. Muitos estudos mostram a conexão entre a perda de sono e o ganho de peso, mas um estudo específico mostrou que ter duas horas de sono a menos fez os participantes aumentarem a ingestão diária de comida em mais de 500 calorias com poucos dias do experimento.[2] Dormir tarde interfere em hormônios como leptina e grelina, que mandam os sinais de fome e saciedade para o corpo, e o levará a comer demais.

Exercite-se antes do café da manhã. Os exercícios de manhã cedo podem compensar uma alimentação não tão boa? Sim, podem. Um estudo pediu a homens que aumentassem em 50% a ingestão diária de gordura e em 30% a de calorias durante seis semanas. Um terço deles fez isso sem nenhum exercício adicional. Outro grupo se exercitou no meio da manhã, depois do café. O último grupo se exercitou de manhã cedo, antes de comer qualquer coisa. No fim das seis semanas do estudo, os que não se exercitaram engordaram em média 3 quilos com a alimentação rica em gordura. Quem se exercitou no meio da manhã ganhou 1,5 quilo em média, e quem se exercitou de manhã cedinho quase não engordou. Seu nível de tolerância à glicose permaneceu alto, e eles mantiveram um nível saudável de insulina, apesar da alimentação rica em gordura.[3] Exercitar-se de manhã cedo prepara o corpo para receber energia e processá-la com eficiência, ao passo que exercícios intensos mais tarde trazem bem menos benefícios ao metabolismo.

Adam precisava jantar muito mais cedo e passar a maior refeição para o meio do dia se quisesse emagrecer. Também precisava se deitar mais cedo. A princípio, ele reclamou. Nenhum médico ou nutricionista jamais lhe perguntara a que horas ia dormir ou jantava. Embora fosse verdade que sua glicemia e sua pressão estivessem subindo aos poucos, ele nunca recebeu nenhum conselho sobre como seus hábitos cotidianos – e não só a ingestão calórica e a escolha básica de alimentos – afetavam essas variáveis. Mas, depois que reservasse um período mais longo para o sono noturno, ele conseguiria começar a perder peso. Ao fazer as refeições mais cedo, passaria a comer quando o organismo digeriria melhor a comida. Também lhe pedi que se exercitasse um pouco antes do café da manhã, com uma caminhada rápida ou alguns exercícios calistênicos (aqueles que usam o peso do próprio corpo para o fortalecimento muscular), para dar um estímulo ao metabolismo logo cedo. É verdade que ele precisava escolher melhor o que comia, mas isso é bem mais fácil de fazer depois que a pessoa vê algum resultado, quando passa a se sentir mais ativa.

Ele começou a emagrecer pouco tempo depois e em três meses livrara-se completamente do ganho de peso que uma década de maus hábitos lhe trouxera. Sua esposa contou que ele parou de roncar à noite, e Adam me disse que não tinha mais congestão de manhã. Sentia-se menos inchado já no fim da primeira semana. Também tinha mais energia e se sentia mais ligado à família. Embora atribuísse isso ao emagrecimento, eu sei que um dos maiores benefícios de seguir o relógio biológico é a abundância de energia e foco.

Use o relógio biológico para aumentar sua energia

É comum as pessoas descobrirem que, quando dormem menos horas do que deveriam, são menos produtivas no trabalho e assim ficam ainda mais atarefadas. Sentindo-se sobrecarregadas, é mais provável que fiquem acordadas até tarde outra vez, num círculo vicioso. Estabelecer a rotina do sono é o primeiro passo para ter mais energia.

Martha me procurou porque sofria de insônia e falta de disposição. Ela era artista e trabalhava numa instituição local sem fins lucrativos. Em algumas noites, ficava acordada até tarde fazendo seu trabalho criativo; em outras, tentava dormir cedo para chegar mais cedo ao trabalho. Para compensar a falta de energia, ela beliscava petiscos açucarados e ricos em carboidratos, principalmente nas noites em que ficava acordada até tarde. Ela não percebia que os horários de dormir e comer estavam profundamente relacionados ao seu nível de fadiga.

Se prestar atenção nos horários em que realiza suas atividades diárias, você pode fazer mudanças simples que vão melhorar drasticamente sua concentração no trabalho e lhe dar mais energia durante o dia. Você não vai precisar de café nem de doces como estímulo ao longo do dia se colocar em prática as seguintes recomendações:

Durma sempre no mesmo horário. Ficar acordado até tarde em algumas noites e não em outras o predispõe à insônia. Seu corpo tenta descobrir a hora do dia com base em quando você se levanta e quando normalmente vai dormir. Se você não estabelecer sua hora de dormir, seu corpo não saberá quando liberar os hormônios que o farão se sentir sonolento nem quando começar o período de descanso e rejuvenescimento das células. O resultado disso é pouca energia, apatia e más escolhas alimentares. Martha precisava parar de acessar a internet à noite e escolher algumas atividades relaxantes para fazer antes de se deitar.

Pratique atividades físicas todo dia. É fácil pensar nos exercícios como um meio de entrar em forma ou perder alguns quilos, mas eles também são fundamentais para prevenir a insônia. O corpo usa seu comportamento para entender que horas são. Quando se exercita na primeira metade do dia, você reforça as pistas internas do corpo de que está no período diurno. O exercício também aumenta a energia quando é praticado todo dia. Um estudo examinou pessoas sedentárias que sofriam de fadiga constante e verificou que exercícios regulares de baixa intensidade reduziram a sensação de fadiga em mais de 60% delas e lhes deram mais energia ao longo do dia.[4]

Abandone os lanchinhos tarde da noite. Talvez você ache que beliscar não pode lhe roubar energia, mas pode. Optar por alimentos altamente nutritivos na hora das refeições ajuda a diminuir a vontade de fazer lanchinhos. Martha precisou abrir mão de pães e massas, que lhe davam um ânimo de curto prazo, mas, no fim das contas, a deixavam mais cansada. Ela precisava de uma alimentação baseada em legumes, verduras e frutas que nutrisse os sistemas do organismo. Lembre-se: o que você come na primeira metade do dia é o que alimenta seu corpo no dia seguinte. Tudo o que você come depois de escurecer tem mais probabilidade de drenar o sistema.

Martha gostou da ideia de ter hora certa para se deitar, embora ficasse um pouco ansiosa por não saber quando faria seu trabalho criativo. Ela detestava o ambiente das academias, mas descobriu alguns exercícios que podia fazer pela manhã. Uma sessão de apenas 20 minutos era suficiente para seu tipo físico. Como não buscava ficar "sarada", Martha não precisava exaurir os músculos nem terminar os exercícios encharcada de suor. Ela só queria aquela dose de energia que a ajudasse a acordar e lhe desse alguma clareza mental no decorrer do dia. Depois que seu ciclo de sono encontrou um ritmo natural, ela achou mais fácil estabelecer prioridades no trabalho e se sentiu mais capaz de se concentrar em sua arte no início da noite. Com uma nova dieta e uma rotina de sono, ela ficou empolgada para procurar outro emprego e estabelecer metas de longo prazo.

O que você faz a cada hora do dia?

Agora é sua vez. Se você deseja estabelecer horários mais adequados para suas atividades, primeiro precisa registrar o que faz num dia comum.

Sono
1. Quando você acorda naturalmente?
2. A que horas desliga o computador e deixa o celular de lado?
3. Quando adormece naturalmente?
4. Você tem um horário de dormir diferente nos fins de semana?

Alimentação
1. Quando você faz a primeira refeição do dia?
2. Quando faz a maior refeição?
3. Quantas calorias ingere depois das 18h?
4. A que horas faz sua última refeição do dia?

Atividade física
1. Quantas vezes por semana você se exercita?
2. A que horas normalmente se exercita?

Atenção plena
1. Como você se sente antes e depois de cada refeição?
2. Com que rapidez pega o celular quando se sente entediado ou estressado?
3. Há algum momento do dia em que se senta em silêncio e verifica como está o seu corpo?
4. Com que frequência seu intestino funciona?

SE NÃO FIZER MAIS NADA

O horário é tudo quando se trata de digestão saudável, sono reparador e boa forma física. A boa notícia é que não é preciso adivinhar: existe uma programação diária ideal para a saúde. Nos próximos capítulos você aprenderá estratégias para aproveitar o potencial de bem-estar de seu tipo físico. No entanto, se só fizer três coisas, que sejam estas:

1. **Durma no mesmo horário todo dia, de preferência por volta das 22h30.** Quando fizer isso, começará a sentir os efeitos de uma concentração maior durante o dia, geralmente logo nos primeiros dias. Lidará melhor com o estresse diário. Também começará a perder peso.

2. **Faça a maior refeição ao meio-dia.** Quem ingere uma refeição substancial no almoço tem muito mais facilidade para manter o peso, e vários problemas digestivos, como refluxo ácido, dor de estômago e prisão de ventre, desaparecem quando se come na hora certa. Fazer a maior refeição à noite provoca um caos no sistema digestivo. A refeição da noite deve ser cerca de metade do que você está acostumado a comer. Não tenha medo de sentir fome. A refeição mais farta do meio-dia vai alimentá-lo durante a tarde e tornar desnecessários aqueles lanchinhos e xícaras de café.

3. **EXERCITE-SE DE MANHÃ CEDO.** A maioria não precisa de tanta atividade física quanto pensa. Passar uma hora na esteira no fim do dia não vai lhe servir tanto quanto 20 ou 30 minutos de exercícios assim que você acorda. Exercitar-se de manhã cedo influencia o ciclo do sono, o peso e a pressão arterial. Também descarrega o estresse. Você pode aproveitar ainda mais seu exercício matutino se pelo menos parte dele for feita ao ar livre, para que seu cérebro se banhe de luz natural e assim fortaleça o ritmo natural do organismo.

Faça apenas essas três coisas durante sete dias consecutivos e sua saúde se transformará. (Depois de apenas um mês, você não vai acreditar que já viveu de outra maneira.)

Nos próximos capítulos, explicarei como ajustar esses hábitos para chegar aos horários de comer, dormir e se exercitar mais indicados para o seu corpo, porque cada corpo é um pouco diferente. Também lhe darei algumas dicas para conseguir dormir na hora certa e escolher o exercício e a alimentação mais adequados para você, caso alguns desses hábitos pareçam impossíveis.

3

ESCUTE SEU CORPO

● ○ ◐ ●

A medicina ayurvédica – e o restante deste livro – se baseia na capacidade que cada pessoa tem de entrar em sintonia com o próprio corpo para alinhar seu relógio biológico ao ritmo circadiano natural. Mas, se você não sabe como seu corpo se sente no decorrer do dia, é difícil descobrir o que e quando comer e quando parar de comer. Se estiver desconectado de seu organismo, será difícil saber quando precisa de repouso ou de exercício.

O dia inteiro, deixamos nossas tentações e ansiedades nos comandarem. Procuramos no futuro e no passado o porquê de nossa vida ser como é. Pense em nossos cinco sentidos como cinco cavalos selvagens, ao passo que sua mente é o pobre cocheiro da carruagem tentando segurar as rédeas. Quando você se sintonizar com seu organismo por meio de um treinamento de atenção plena conseguirá controlar esses cavalos selvagens e levar seu corpo e sua vida na direção desejada.

Percebemos as mudanças dos padrões de alimentação, sono e exercício como mudanças no corpo, mas elas acontecem primeiro na mente. Quando dou diretrizes aos meus pacientes para reajustarem seu relógio biológico, eles costumam me explicar todas as razões pelas quais não conseguirão fazer essas mudanças. Dizem que não conseguem abrir mão da televisão tarde da noite, mesmo que isso lhes permita desfrutar uma boa noite de sono. Não querem abrir mão da grande refeição noturna, mesmo que essa mudança lhes permita emagrecer pela primeira vez em anos. Têm um milhão de razões para não se exercitarem pela manhã ou não comerem na hora certa. Você precisa dar um jeito de ignorar o que a mente lhe diz sobre seus desejos momentâneos a fim de escutar do que seu corpo realmente precisa. A maior batalha que travará com sua saúde não será contra o corpo; será contra a mente.

Vejamos o caso de Jason. Ele me procurou porque estava com muita azia. A ardência no estômago e na garganta ficara tão desconfortável que não conseguia mais saborear seus pratos prediletos. Não podia comer nada apimentado; até uma cerveja o deixava péssimo. Ele tinha apenas 30 anos e disse que nunca tivera nenhum problema alimentar, nenhuma alergia nem nada. Depois de conversarmos um pouco sobre sua alimentação, ele começou a me falar de seu trabalho.

Após se formar na faculdade, Jason quis ter um negócio próprio e acabou abrindo uma academia de CrossFit. A atividade física era sua paixão desde o ensino fundamental, e ele achava que ter uma academia e interagir com pessoas como ele o dia inteiro o deixariam feliz. Mas seu dia começava às 6h e só terminava lá pelas 22h. Como muitos profissionais da boa forma, ele levava uma vida que parecia perfeitamente saudável, mas a tensão constante o estava matando. Jason não dormia bem à noite por conta do estresse e não conseguia manter um relacionamento. Nem se lembrava da última vez que tirara férias. Sua empresa era como uma fera que precisava de cuidados a cada minuto, mas, apesar de tão ocupado, ele não se sentia produtivo. Como muita gente sobrecarregada, queria mudar de vida, mas não sabia sequer por onde começar. Não tinha estratégia para mudar de trajetória.

Não é raro que alguém me procure com sintomas físicos que também são emocionais. O corpo é um instrumento complexo que reflete quem você é. Quando você fica infeliz, seu corpo lhe fala de sua infelicidade. Quanto mais você o ignora, mais alto ele se expressa. O corpo de Jason estava gritando com ele. É possível que já estivesse tentando lhe transmitir coisas importantes sobre seu estilo de vida havia algum tempo. Infelizmente, ele não estava escutando. Só decidiu buscar ajuda quando descobriu que não podia comer por causa do desconforto diário da azia.

Embora eu lhe desse meus conselhos costumeiros sobre dormir na hora certa, comer na hora certa e moderar sua rotina de exercícios, antes de tudo Jason tinha que pensar no preço que o estresse cobrava de sua vida. Ele tinha muita paixão e era perfeccionista, mas perdera a noção de propósito, e o corpo o avisava disso. O que realmente precisava era se analisar com regularidade. Jason não reservava um tempo para pensar em como se sentia a cada momento, muito menos para considerar se a vida que construíra ainda era boa para ele.

Depois que criou o hábito de ouvir o seu corpo no decorrer do dia, ele passou a pensar em carreiras alternativas. Começou a se perguntar: *Por que estou fazendo isso? Como me sinto neste momento? Qual é o meu propósito?* Apenas considerar essas perguntas lhe propiciou uma nova onda de criatividade. Ele viu que o medo do fracasso e de ser menos do que perfeito o levara àquele horário de trabalho exigente e àqueles problemas de saúde. Quando conectou mente e corpo, pôde refletir sobre estabelecer novas metas para si. Para Jason, a atenção plena – não o sono, a alimentação ou os exercícios – foi o primeiro passo para a transformação.

A falsa noção de força de vontade

As pessoas falam o tempo todo que não têm força de vontade para mudar a alimentação ou para adotar hábitos mais saudáveis. Dizem a si mesmas que deveriam ser capazes de impor disciplina à mente e ao corpo pela força. Mas essa tentativa é exaustiva e, portanto, fracassa.

No decorrer do dia, você acumula na mente fatores de estresse ou toxinas. Se não tiver um modo de descarregá-los, buscará qualquer tipo de distração. Não importa quais são suas tentações: podem ser jogos na internet, comprar guloseimas que sabe que não deveria comer, pegar mais uma cerveja, trabalhar demais, ficar obcecado com coisas fora de seu controle, etc. Quando seu nível de estresse se acumula e você não o descarrega, suas tentações o chamarão. Você sentirá necessidade de mascarar o desconforto com hábitos nada saudáveis. Aqueles cavalos selvagens vão arrastá-lo para todos os lados, e você não vai conseguir dominá-los à força. Chamamos isso de *bhoga*, ou regalar-se com luxos e confortos. O excesso de *bhoga* leva a *roga*, que significa doença.

É possível romper o ciclo de *bhoga* e evitar *roga* retomando o controle sobre os sentidos. E fazemos isso com *yoga*. Embora você possa achar que ioga é uma série de exercícios, na verdade a palavra significa união. É a união de corpo e mente que quebra o feitiço sobre os sentidos e permite ter pensamentos e intelecto estáveis. Passe alguns minutos por dia analisando o funcionamento do seu corpo e você verá as tentações e os hábitos prejudiciais desaparecerem. Não precisará forçá-los a ir embora. Eles simplesmente perderão seu poder. Vi isso acontecer incontáveis vezes com meus pacientes.

O primeiro passo para isso é medir sua pulsação.

Escute seu coração

Como órgão, o coração simboliza muitas coisas. Quando falamos do coração, podemos nos referir a sentimentos de ternura, paixão, gratidão, empatia ou pesar. Essas emoções podem ser geradas na mente, mas as sentimos no corpo. É por isso que a conexão com o corpo é tão importante. No ayurveda, verificar o pulso de alguém é um modo de descobrir como a pessoa realmente está, quais são as energias dominantes ou se há muitas toxinas ocultas. Também usamos o pulso para avaliar o bem-estar emocional.

Avaliar o próprio pulso é bem fácil. Procure o ponto certo em seu pulso. Os homens devem usar a mão esquerda e tirar o pulso no braço direito. As mulheres devem usar a mão direita para checar o pulso esquerdo.* Com a palma voltada para cima, passe a outra mão pelas costas do pulso de modo que os três primeiros dedos fiquem sobre o ponto do pulso perto da base da mão. Segure o pulso por trás, de modo que o indicador fique mais perto da base do polegar. Você pode fazer isso agora, se quiser. Feche os olhos, se assim for mais fácil se

---

* No ayurveda, associamos o lado esquerdo do corpo à energia lunar e o direito à solar. O corpo das mulheres é mais sincronizado com o ciclo lunar, pois seus hormônios flutuam a cada 28 dias; e é por isso que elas devem tomar o pulso no braço esquerdo.

concentrar na sensação do pulso, e demore-se uns 20 ou 30 segundos. Você não está tentando contar nem medir a pulsação. Apenas observe. Sinta seu batimento cardíaco e a respiração em seu corpo subir e descer. É muito relaxante.

Às vezes você notará que o pulso parece mais forte num ou noutro de seus dedos. Se fizer isso várias vezes por dia, perceberá as mudanças naturais do pulso em horas previsíveis. Será diferente antes e depois de comer, antes e depois dos exercícios e, com certeza, será diferente pouco antes de dormir ou quando você desperta pela manhã. Com o tempo, você será capaz de sentir seu coração batendo sem verificar o pulso e talvez se acostume a ficar imóvel o suficiente para perceber todo tipo de sensação no corpo. Por exemplo, você pode sentir as leves contrações passando pelo sistema digestivo.

Você também pode atentar para o modo como o estresse se manifesta no corpo por meio de dores, dormência, pontadas ou confusão mental. Você aprenderá a fazer isso concentrando-se no tipo de coisa que contribui para a sensação de estresse do corpo e também no que traz alegria. Acima de tudo, você aprenderá a apreciar o seu corpo e como ele funciona o tempo todo para seu bem. Talvez perceba quanto ama seu corpo e quer cuidar bem dele. Todo tipo de insight pode surgir com esse único exercício, que é um tipo de meditação.

A princípio, você verificará seu corpo em horas previsíveis. É um modo de ver como se sente no decorrer do dia, o que lhe dará informações valiosas sobre como seu comportamento afeta o organismo. Por exemplo, se tiver dificuldade para emagrecer, é bom avaliar o pulso antes e depois de cada refeição. Mais uma vez, você não está procurando um ritmo específico nem uma mudança. Sua tarefa é notar os batimentos cardíacos e observar o seu corpo, perceber como se sente.

Perguntar-se como se sente antes de comer é outra maneira de dizer: *Estou com fome?* E então: *Como me sinto depois de comer o que comi?* Essas são questões reveladoras, porque às vezes os pacientes me dizem que não conseguem abrir mão do pão nem reduzir seu consumo porque gostam muito disso. Então lhes peço que se observem depois de comer pão. E o que descobrem (principalmente aqueles com sensibilidade à insulina) é que o pão ainda tem um gosto maravilhoso, mas em 20 minutos o coração dispara e eles sentem ansiedade ou uma espécie de pânico inquieto. E isso não é raro.

Se o seu organismo tem dificuldade para processar açúcares simples, essa é uma reação normal.

Depois de vivenciar esse sentimento, as pessoas são mais capazes de diminuir o consumo do que as adoece, mesmo que o sabor seja bom no momento. Finalmente, as papilas gustativas mudarão, e essas coisas nem terão mais um gosto bom. Aquele desejo intenso pelo alimento vai desaparecer. Até lá, é bom analisar o seu corpo. Ele fala com você o dia todo, mas você nem sempre escuta.

Se tiver insônia, é bom se observar quando for dormir à noite e ao acordar pela manhã. Também é bom fazer essa análise sempre que se sentir sobrecarregado, porque os sentimentos de ansiedade durante o dia podem ressurgir quando você tentar dormir. Se estiver iniciando um novo regime de exercícios, é bom verificar seu estado antes e depois de se exercitar. É assim que você sabe se está fazendo exercício suficiente e, principalmente, se não está se exercitando demais.

Muitos pacientes meus usam essa ferramenta simples como ponto de partida para a atenção plena. No começo parece uma tarefa meio estranha, mas em poucos dias eles recorrem cada vez mais a ela. É espantoso como podemos dissipar rapidamente o estresse fechando os olhos, inspirando fundo e sentindo o pulso firme do coração.

O ESTRESSE E AS TELAS DOS APARELHOS ELETRÔNICOS

Quantas vezes por dia você pega o celular? Em qualquer local público podemos ver pessoas fitando suas telas, não porque acabaram de receber uma ligação ou mensagem urgente, pelo contrário. O dia inteiro recorremos ao celular para ter o que fazer, e ele obedientemente nos dá uma dose de emoção, frustração, ansiedade ou bons sentimentos quando recebemos uma mensagem ou e-mail de alguém de quem queríamos notícias. Ou entramos nas redes sociais e clicamos em coisas para nos sentir de um determinado jeito, zangados com a injustiça do mundo ou alegres com animais fofinhos brincando. Isso por si só não é ruim, mas quero que você passe algum tempo desligado de tudo. Lembre-se de que o desejo de pegar o celular é sua mente insistindo em que você busque uma dose de adrenalina ou dopamina para encobrir um desconforto momentâneo. Em vez disso, respire fundo e resista. Pergunte-se como se sente realmente. Se perguntar a seu corpo como se sente, ele lhe dirá.

Consciência interoceptiva

Se conseguir equilibrar seus pensamentos e escutar seu corpo, você estará no quadro mental certo para mudar de vida. As ações de observar o corpo e sintonizar-se com o estado em que ele se encontra fazem parte de todas as tradições de cura. E agora a ciência ocidental está se alinhando com essa antiga sabedoria. Nem sempre os pesquisadores a chamam de treinamento de atenção plena ou meditação. Em vez disso eles se concentram no que chamam de consciência interoceptiva, ou consciência do funcionamento fisiológico do organismo.

Não é fácil avaliar até que ponto as pessoas percebem o próprio estado fisiológico. Não se pode simplesmente perguntar-lhes se estão sintonizadas com suas funções corporais. Em vez disso, é preciso dar a elas uma tarefa que envolva a consciência corporal.

Num estudo, os pesquisadores dividiram os participantes em dois grupos. O primeiro teve que escutar uma série de notas musicais e decidir qual era diferente das outras. O segundo grupo teve que dizer se a série de notas soava em sincronia com seus batimentos cardíacos. Os participantes também tiveram o cérebro examinado por ressonância magnética funcional durante o exercício. O ato de se concentrar nos batimentos do próprio coração fez uma área específica do cérebro se iluminar no exame[1] – a ínsula, uma região pequena que ajuda a traduzir sensações corporais em emoções. E essas emoções governam muitos de nossos comportamentos.

A ínsula só foi estudada na última década, mas parece que essa mesma área do cérebro tem funções diferentes nos seres humanos e nos outros mamíferos. Em camundongos, por exemplo, a ínsula transforma sensações corporais em comportamentos instintivos. Nos seres humanos, ela as transforma em desejos, anseios e hábitos. É claro que também pode transformar sensações em emoções, como paixão, aversão e medo. Essa é a parte do cérebro que transforma sensações fisiológicas em emoções subjetivas.

Certos indivíduos têm uma forte capacidade de tirar proveito dessa consciência fisiológica, e a maioria pode aprendê-la, mas em que isso nos beneficia? Alguns estudos mostram que esse tipo de prática ajuda a lidar com a ansiedade,[2] contribui para que adictos em recuperação consigam suportar os anseios[3] e faz com que aqueles que têm insônia possam dormir à noite ou mesmo relaxar quando não conseguem dormir.[4] O que notei é que isso ajuda as pessoas a interpretar e refletir melhor sobre a realidade de sua vida. Dá a elas uma pequena pausa, digamos, entre o impulso de fazer alguma coisa e a ação em si. É a mudança de estilo vida mais poderosa que se pode fazer, e pouquíssima gente faz.

As pessoas supõem que podem recorrer apenas à força de vontade para mudar, que podem usar a mente para forçar o corpo a deixar os maus hábitos. Na verdade, seus hábitos funcionam ao contrário. Seu corpo lhe dá todo tipo de dica sobre do que realmente precisa, mas durante muitos anos você pegou essas dicas e as transformou em emoções subjetivas, sob a forma de anseios e hábitos. Para rompê-los, é preciso se sintonizar com o corpo e sua fonte de dados brutos. Verificar o pulso várias vezes por dia é um modo fácil de acessar esses dados. Aos poucos, você terá vontade de reservar mais tempo ao longo do dia para praticar técnicas mais formais de meditação.

O poder da atenção plena

Um de meus pacientes é um gestor do alto escalão de uma empresa e me procurou porque tinha problemas de estresse, ganho de peso e eczema. Embora seguisse as recomendações de exercício e alimentação, resistia à ideia da meditação, dizendo que lhe parecia contraproducente, um desperdício de tempo. Também achava que tinha que ser feita pela manhã e que seria difícil encaixá-la em seus horários; ele gostava de estar no escritório antes que os outros chegassem e de ficar lá até a noite.

Quando entendeu que podia meditar no fim do dia de trabalho, ele concordou em tentar de novo. Sentava-se no sofá do escritório e fazia uma curta meditação antes de voltar para casa. A família logo notou a mudança. A esposa disse que ele parecia diferente quando chegava e os filhos notaram que não estava mais tão irritado à mesa do jantar. Ele se sentiu mais presente com a família e menos consumido pelo trabalho e, depois que a meditação se tornou parte permanente de sua rotina, ele me disse que aqueles 20 minutos foram a mudança mais importante que já fizera.

Essa história não é rara. Conheci pessoas que me disseram que nunca iriam parar de fumar e beber. Acreditavam que não conseguiriam, porque tinham tentado e fracassado muitas vezes. Quando experimentam técnicas simples de meditação para se conectar melhor com seu organismo e com o modo como seus pensamentos se misturam e, em geral, interpretam erradamente as dicas do corpo, essas pessoas descobrem que conseguem desacelerar e se sentir centradas com mais frequência durante o dia. Então, quando as revejo meses depois, elas me dizem que abandonaram todos os maus hábitos e transformaram completamente sua alimentação. Às vezes, essas mudanças de estilo de vida as levam a se ver de maneira diferente, o que suscita novos comportamentos no trabalho, novas ambições e um relacionamento melhor com a família.

Grandes empresas vêm implantando o treinamento em atenção plena com ótimos resultados. O Google tem um curso de atenção plena com lista de espera de seis meses, porque todos os participantes elogiam muito a transformação poderosa em sua vida e sua carreira.

Para apreciar o valor do treinamento em atenção plena, primeiro é preciso entender a reação de luta ou fuga do corpo. Quando você fica aborrecido ou ansioso, seu corpo reage como se estivesse diante de uma ameaça física e precisasse fugir ou combater uma força adversária. Numa emergência, provavelmente você consegue sentir a adrenalina inundar seu sistema. O ritmo cardíaco aumenta, juntamente com a pressão arterial. Você respira mais depressa, a boca fica seca. Talvez você transpire um pouco com o estresse agudo. Seus músculos ficam tensos, prontos para atacar. Também acontecem coisas dentro de seu organismo que você não consegue sentir. A digestão desacelera. São liberados hormônios do estresse, como o cortisol, que causa inflamação. A glicemia sobe, enquanto a resposta imune fica mais lenta. O corpo se prepara para enfrentar o estresse emocional como se você estivesse diante de uma ameaça física.

Numa crise emocional permanente, sua reação de luta ou fuga pode ficar ativa durante boa parte de cada dia. Com o tempo, porém, o corpo talvez aprenda a reagir ao mundo como um tipo de ameaça e mantenha vivo esse estresse por um período mais longo do que seria útil. Na verdade, o estresse pode se tornar um hábito emocional. Você pode dizer a si mesmo que se sente estressado, mas na verdade não sente seu corpo. Em vez disso, você corre de uma atividade ou um prazo a outro.

Muita gente vive num estado quase constante de alarme de baixo nível, com níveis de glicemia, pressão arterial e inflamação levemente elevados. Seu corpo fica tenso, os maxilares doem de tanto trincar os dentes e as costas e a nuca sofrem com a tensão constante. Algumas pesquisas sugerem que a parte do hipotálamo que controla o ritmo circadiano pode ser perturbada pelo estresse.[5]

O treinamento em atenção plena é um modo de reiniciar a reação de luta ou fuga. Ele permite ao corpo vivenciar seu estado natural de consciência em repouso. Quando se concentra na respiração e ouve seu corpo, você cria uma pausa na reação de estresse. Seu pulso e sua pressão podem baixar enquanto a tensão se desfaz. Os níveis de adrenalina e de cortisol se reduzem, a glicemia diminui. Talvez você também descubra que dorme melhor à noite e come melhor durante o dia. Você pode obter todos esses benefícios apenas sentando-se sem fazer nada.

O melhor é que você não precisa se sentar numa almofada, entoar cânticos ou ouvir meditações guiadas, a menos que essas coisas lhe agradem. Há muitas maneiras de alcançar a atenção plena e, dependendo de suas preferências, a meditação sentada, a meditação em movimento ou a escrita em um diário – ou a combinação das três – podem ser igualmente benéficas.

Meditação sentada

Essa é a forma mais tradicional de atenção plena e uma que ensino há muitos anos. Os passos são simples, e fazer isso alguns minutos por dia pode ser muito benéfico.

1. **Escolha seu mantra.** Escolha uma palavra ou expressão para repetir mentalmente durante a meditação. Isso lhe dará algo em que concentrar sua atenção que não sejam seus pensamentos. Você pode usar o mantra *Om,*

para se manter presente e conectado com o campo da consciência. Também pode usar palavras como "paz", "bem" ou "alegria". Evite palavras carregadas demais de significado para você. Às vezes o uso da palavra "amor" é complicado, porque significa muitas coisas. Lembre-se de que o mantra é apenas uma ferramenta para ajudar a concentrar e aquietar a mente. Algumas pessoas não usam nenhum; preferem contar as respirações.

2. **Sente-se confortavelmente.** Procure um lugar tranquilo onde não vá ser incomodado. Não há necessidade de se sentar de pernas cruzadas no chão. Você pode se sentar numa cadeira, no sofá ou no chão, encostado na parede. Pode se apoiar em almofadas, travesseiros ou cobertores. O objetivo é se sentar da forma mais ereta possível, mas mantendo o conforto. Todos temos anatomias diferentes, e é bom que sua experiência de meditação seja agradável; portanto, faça de seu conforto uma prioridade. Lembre-se: a meditação pode ser praticada em qualquer lugar.

3. **Feche suavemente os olhos e respire.** Faça algumas respirações profundas de limpeza. Inspire lentamente pelo nariz e solte o ar pela boca algumas vezes. Depois continue a respirar normalmente, com a boca fechada.

4. **Repita seu mantra.** Você pode fazer isso em silêncio, sem mover a língua ou os lábios. Repita a palavra devagar. Não há necessidade de se apressar ou de tentar igualar o ritmo da palavra com a respiração. Permita que a respiração siga o próprio ritmo. A repetição do mantra deve acontecer quase sem esforço. O mantra o ajudará a transcender para a consciência em repouso. Enquanto continua, você descobrirá que se afasta do mantra. A mente vai divagar, e não é preciso esvaziá-la nem tentar interromper o fluxo dos pensamentos. Quando notar que se distraiu, simplesmente volte a repetir o mantra.

5. **Pare com o mantra.** Depois de 15 a 20 minutos (você pode usar um timer com som bem suave para saber quando chegar a hora), pare de repetir o mantra e continue sentado com os olhos fechados por um momento antes de se levantar.

Você vai perceber que, depois de terminar a meditação, seu estado de espírito será bem diferente do modo como normalmente interage com o mundo.

Os pensamentos podem ficar mais lentos, e talvez você se sinta menos pressionado e aflito. Com a prática, você conseguirá voltar a esse estado de espírito algumas vezes ao longo do dia. Não é preciso tentar recriar essa sensação o dia todo. Basta saber que está disponível sempre que se sentar para meditar.

Meditação em movimento

Quando alguém me diz que não consegue fazer a meditação sentada formal, sugiro que tente meditar em movimento. Alguns têm dificuldade de ficar sentados e imóveis porque acham que não estão fazendo nada. Ou ainda não conseguem sentir a mudança no estado de espírito quando estão sentados respirando. Você sentirá essas coisas com a prática, mas há outras técnicas de atenção plena que pode usar até lá. Empregamos a meditação em movimento quando ensinamos a atenção plena às crianças, porque geralmente elas são tão cheias de energia que qualquer tentativa de sentar e respirar as deixa irrequietas. Então damos a elas uma palavra ou expressão para repetirem para si mesmas em silêncio e pedimos que andem em círculos. Em poucos minutos elas estão quietas e centradas, e essa sensação dura várias horas.

Meditação em caminhada. Algumas pessoas sentem muita vontade de andar quando se sentem ansiosas ou precisam pensar, mas isso é diferente. Meditar e andar por ansiedade não são a mesma coisa, mas você pode ser uma das pessoas que meditam melhor enquanto caminham. Na meditação em caminhada, você dá um passeio ao ar livre, de preferência junto à natureza, e, em vez de ruminar sobre tudo o que tem que fazer ou todas as conversas que gostaria de repetir, só anda e respira. Observe o clima e a paisagem em volta enquanto inspira profundamente. No Japão, caminhar na natureza é chamado às vezes de "banho de floresta", e eu adoro essa expressão, porque transmite a forte sensação de paz que obtemos caminhando entre as árvores. O governo japonês gastou milhões de dólares em pesquisas que documentam o efeito positivo do banho de floresta sobre o sistema imunológico e sua capacidade de reduzir o estresse, as inflamações e até a pressão arterial.

Enquanto faz a meditação em caminhada, sua preocupação não é se exercitar, e você deve se mover na velocidade que desejar. A meta é tirar o foco dos pensamentos acelerados e passar para uma conexão completa com sua respiração e com o movimento do corpo. Como na meditação sentada, o objetivo não é suprimir os pensamentos, mas notá-los e deixá-los irem embora. Sua tarefa é se concentrar no corpo e na respiração. É claro que vai se distrair com pensamentos insistentes, mas você tem o poder de devolver sua atenção aos passos que dá, à respiração e ao ambiente.

As pessoas que lutam com a ansiedade e o perfeccionismo geralmente acham que esse tipo de pausa no dia reduz o problema. Outras, presas ao passado por ressentimentos ou arrependimentos, encontram a capacidade de se libertar deles por alguns minutos. Isso pode ser extremamente terapêutico.

Quando morei no Havaí, eu tinha um amigo psiquiatra. Semiaposentado, ele ainda mantinha alguns poucos pacientes. Mas os encontrava na praia. Ele me disse que caminhar pela praia era reparador tanto para o médico quanto para o paciente e permitia às pessoas se abrirem com mais facilidade. Ele caminhava cerca de 90 minutos com cada paciente e deixava que falassem. Os pensamentos deles variavam muito, dos problemas às ambições. Às vezes, ficavam em silêncio durante trechos da caminhada. Ele era um psiquiatra incomum por atender ao ar livre e também dava livros para os pacientes lerem e conversava com eles sobre espiritualidade, além de psicologia. Mas era a caminhada o que mais os ajudava. Os pacientes percorriam um belo cenário, falando com alguém que os escutava ativamente, e tinham permissão para ficar calados e ter seus insights. Ele disse que nunca precisou de mais de quatro meses para pôr os pacientes de volta nos trilhos.

Movimentos suaves. Se você já se levantou durante uma reunião ou sessão de trabalho intensas só para alongar os braços ou girar o pescoço, você já fez esse tipo de atividade de atenção plena. A versão mais formal disso é o tai chi, que incentiva a se mexer e respirar usando formações específicas. É um modo maravilhoso de construir suavemente a disciplina da autoconsciência. Quaisquer movimentos suaves ou alongamentos leves funcionam se você se sintonizar e prestar atenção em como se sente.

Muita gente usa a prática de ioga como forma de meditação. Esses alongamentos suaves e estruturados exigem a coordenação entre movimentos e respiração e a manutenção de posturas que podem ser incomuns enquanto se presta atenção em todas as sensações do corpo. Para quem tem dificuldade de meditar, esses movimentos e posturas permitem concentrar-se completamente no movimento e em manter-se na postura. É a distração suprema da vida moderna. Manter a postura é como prender a respiração. Pode produzir um pouquinho de ansiedade, mas concentra totalmente sua atenção no que está fazendo, não nos pensamentos sobre o passado e o futuro. Costumo recomendar aulas de ioga a quem quer combinar atenção plena e exercício físico.

Às vezes, isso causa resistência. Recentemente, tive uma paciente que precisava perder peso e começar uma rotina de exercícios pela primeira vez em muitos anos. Sugeri aulas de ioga, e ela me disse que não conseguia nem olhar seu corpo no espelho do banheiro. Como conseguiria vestir bermuda e uma camisetinha e fazer um monte de exercícios descalça, na frente de desconhecidos? Eu disse a ela que era apenas uma aula. O pior que poderia acontecer era ir até lá, respirar profundamente e tentar mexer o corpo de um jeito novo. Os alongamentos da ioga podem nos pôr em contato com grupos musculares grandes e pequenos nos quais não pensamos há anos. A prática revigora o organismo e traz um relaxamento profundo.

Mas eu sabia o que ela temia. Entrar em contato com o corpo que vimos negligenciando é complicado. É fácil se sentir competitivo ou excluído quando não se consegue fazer todos os movimentos como o instrutor faz. Alguns estúdios de ioga de fato cultivam uma sensibilidade intimidadora. Talvez atraiam pessoas muito competitivas, que se esforçam para superar os resultados com aulas seguidas de *hot yoga*. Alguns alunos confundem flexibilidade física com iluminação espiritual. Ou começam a achar que precisam de roupas de marca e tapetes moderníssimos para entrar no clima. Ou se apegam a um instrutor específico e tratam essa pessoa como um guru. Tudo isso é contrário ao propósito da ioga, que é levar sua consciência para o corpo. Se você procurar, encontrará a aula certa para você.

Escrever em um diário é ser ouvido

Escrever seus pensamentos é um modo de registrá-los, mas também serve para se desprender deles. Você pode escrever em uma hora específica ou levar o diário com você e fazer algumas anotações de cada vez, como um modo de se analisar. Pode se perguntar se está feliz, quais são suas ideias e seus sonhos. Pode pensar em objetivos e no que busca em um emprego ou no parceiro ideal. De certo modo, o diário serve como um amigo de confiança, que escutará sem julgar nem dar conselhos. Você pode se fazer qualquer pergunta: *Por que não consigo seguir essa dieta? Por que não me exercito mais? Por que meu relacionamento não está dando certo? Que tipo de trabalho eu gostaria de realizar?* Qualquer resposta que lhe vier é um ponto de partida nesse diálogo consigo mesmo.

Fazer um diário é uma ótima maneira de começar a responder a perguntas importantes sobre o que você quer da vida. Frequentemente, encontro pessoas de 20 e poucos anos que estão perdidas. Às vezes, isso tem a ver com a imagem corporal. Elas se alimentam mal ou têm uma rotina de exercícios ruim ou dificuldade para dormir. Geralmente, é porque não sabem o que fazer da vida nem como foram parar em carreiras que detestam, e pensam se seria possível mudar alguma coisa no futuro.

Costumo lhes sugerir: "Finja que eu tenho uma varinha mágica e posso lhe dar o que quiser. O que seria?" Elas ficam confusas. Respondem: "Não sei." Esse é o problema. Seu trabalho é descobrir o que quer. O trabalho da mãe natureza é lhe revelar as coisas. Não tenho varinha mágica, mas o diário é o mais próximo disso que posso lhe dar. É aí que você começará a descobrir quem é e o que quer. Ele permite que você saiba o que pensa o dia inteiro e aceita sem julgamento todas as suas preocupações e todos os seus sonhos.

O hábito de manter um diário pode ajudá-lo a se libertar de pensamentos angustiantes e a reajustar suas metas na vida. Foi assim que Jason usou seu diário quando teve dificuldades com sua empresa de CrossFit. Embora tomasse o pulso regularmente e meditasse um pouco nas primeiras horas do dia, foi o diário que o ajudou a se concentrar. Ele usava o tempo livre no trabalho para registrar ideias sobre outros negócios que poderia abrir e sobre o tipo de vida que gostaria de ter. Aos poucos, começou a encher mais e mais páginas com sua filosofia sobre treinamento, motivação e disciplina pessoal.

Finalmente, ele se surpreendeu ao descobrir que tinha o começo de um livro sobre o assunto. Esse se tornou seu próximo empreendimento, o lugar onde acharia propósito na vida.

JEJUM PARA A ATENÇÃO PLENA

No ayurveda, como em muitas tradições religiosas e de cura, jejuar é um meio de aprimorar a prática espiritual. Não sugiro passar dias sem comer, nem mesmo um dia inteiro sem se alimentar, embora, para muitos iogues, essa seja uma forma de obter consciência espiritual. No entanto, ficar algumas horas sem comer é bom para o corpo. Fazemos isso naturalmente toda noite, para ter o "desjejum" pela manhã.

Durante o dia, você também deve pensar nas horas entre as refeições como uma ocasião para se abster de comida. Vivemos numa época em que podemos comer o dia inteiro e a noite inteira, se quisermos. Mas ficar três a seis horas sem comer é um bom modo de analisar o seu corpo, deixando-o em paz. Pratique isso tomando o café da manhã às 8h30 e abstendo-se de comida até as 12h30. Então, depois do almoço, não coma nada até o jantar, às 18h30. Ficar algumas horas sem comer lhe dá a oportunidade de perguntar se realmente precisa de um alimento específico antes de comê-lo.

Algumas pessoas aprofundam essa prática escolhendo um dia da semana para pular a refeição noturna. A refeição noturna é uma boa escolha, porque o corpo não precisa de muito combustível nessa hora do dia. Ao abrir mão de uma refeição por semana, você pode sentir a leveza de comer menos. Se fizer isso, não se esqueça de beber água morna com limão ou infusões de ervas para manter o corpo hidratado durante a noite.

Acúmulo de toxinas

Sintonizar-se com seu corpo é mais do que apenas aquietar a mente. Também significa notar como seu corpo funciona no nível físico. Especificamente, você quer ter consciência do acúmulo de toxinas no organismo. No ayurveda, essas toxinas, chamadas *ama*, são o subproduto dos hábitos pouco saudáveis e dos traumas emocionais.

Ama (aquilo que não foi digerido) se acumula mais depressa quando você está fora de sintonia com o ritmo circadiano do organismo. Quando essas toxinas se acumulam, podem provocar ganho de peso, inflamação, dores e outras doenças. Se tem dor crônica e dificuldade para emagrecer, você sabe que acumulou *ama* no organismo, e seu novo cronograma saudável ajudará a liberá-la.

Seu corpo tende a liberar *ama* naturalmente quando o intestino funciona e quando você transpira com a atividade física. Mas, se seus horários ignoram essas oportunidades naturais, *ama* continuará a se acumular no corpo. Há maneiras simples de notar a quantidade de acúmulo tóxico no organismo, e reservar um tempo para procurar toxinas lhe dará uma boa medida do progresso na mudança de sua programação diária:

Examine sua língua. Todo os dias, diante do espelho do banheiro, ponha a língua para fora. Observe a superfície da língua. Talvez você perceba uma camada esbranquiçada ou amarelada. Em alguns casos, essa camada pode ter um tom esverdeado. Qualquer cobertura indica a presença de toxinas que seu corpo está tentando eliminar. Também indica que você tem mudanças a fazer em sua alimentação. Ainda está comendo algumas coisas às quais o corpo reage mal, e o acúmulo dessas bactérias na boca e na língua é uma reação a essas coisas. Pode ser que você esteja comendo açúcares simples em demasia, alimentos pesados ou gordurosos e não o suficiente de frutas, legumes e verduras. Pode ser que ainda esteja cedendo aos anseios por comida calórica e pouco nutritiva.

Um modo de ajudar sua língua a se livrar dessas toxinas é usar um raspador. Existem variedades de prata, cobre e outros materiais à venda na internet, mas recomendo o de prata; embora todos façam o serviço mecânico de soltar as toxinas, a prata também tem propriedades antibacterianas. Basta arrastar o raspador sobre a língua – não a ponto de arranhar ou machucar a superfície, mas com força suficiente para remover suavemente as partículas presas ali. Quando faz isso, você retira as bactérias e toxinas da superfície da língua e as cospe fora. Faça isso todo dia de manhã cedo e, no decorrer de algumas semanas, você verá a camada ir diminuindo aos poucos.

Hoje, muitos dentistas recomendam escovar a língua diariamente para reduzir as bactérias que contribuem para o acúmulo de placas e irritam as gengivas. Raspar a língua oferece o mesmo benefício e também serve de botão de reiniciar para suas papilas gustativas. Quando elimina as bactérias e o resíduo microscópico de sua antiga alimentação, na verdade você ajuda a retreinar suas papilas. Com o tempo, o anseio por "besteiras" vai diminuir e será mais fácil mudar a alimentação.

Quer use ou não o raspador, o importante é olhar a língua todo dia. Adote o hábito de ver o resultado de suas escolhas alimentares cotidianas. Muita gente acha que é o número na balança ou a medida da cintura que confirma se está seguindo uma dieta. Mas seu corpo é muito mais do que o peso ou a circunferência da cintura. Para estar realmente conectado com seu corpo e aproveitar ao máximo o ciclo natural do organismo, você precisa saber como ele reage aos alimentos que ingere. E o primeiro lugar para ver o efeito da alimentação é a boca.

Observe suas fezes. Dê uma olhada no vaso sanitário toda manhã, depois de evacuar. Suas fezes devem ser uma única peça alongada, em formato de banana, e sair de você com facilidade, de uma vez só. Também devem boiar.

Talvez você proteste e diga que nunca na vida eliminou algo assim. Pode ser que produza bolinhas endurecidas de tantos em tantos dias, o que significa que provavelmente está desidratado e não ingere gorduras boas ou fibras suficientes em sua alimentação.

Às vezes você produz uma bagunça mole muito fedorenta; nesse caso, deve estar comendo coisas que provocam reação alérgica no intestino ou desenvolvendo dificuldade de digerir lactose ou açúcares simples. O mesmo acontece se estiver produzindo mais gases do que fezes. É seu corpo lhe dizendo o que consegue ou não digerir bem, e você deveria lhe dar ouvidos.

Seu intestino deveria funcionar todo dia, porque todo dia você põe mais comida dentro do organismo. Se nada sai pela outra ponta, é porque seu corpo não consegue processar a comida de ontem e o que você comeu ontem ainda está fermentando no organismo. O resultado é o acúmulo de *ama* em seu sistema, o que dificulta ainda mais absorver os bons nutrientes que você ingere. É óbvio que isso não lhe faz bem.

Quando alguém muda a alimentação e tenta comer de forma mais limpa, seus movimentos intestinais se alteram imediatamente, mas nem sempre as fezes saem perfeitas. Talvez ainda haja uma abundância de toxinas acumuladas no sistema, que precisarão sair em seu próprio tempo ou com uma ajudinha da dieta detox apresentada no Capítulo 7. Portanto, em algumas manhãs as fezes podem sair moles ou líquidas até a nova alimentação se firmar. Uma refeição mais leve no fim do dia, jejuar durante a noite e dormir bem também melhoram o funcionamento do intestino, fazendo com que as fezes saiam de manhã cedo, na hora certa.

Às vezes as pessoas me dizem que não entendo como o corpo delas funciona. Nunca tiveram um funcionamento regular do intestino, não importava a alimentação que experimentassem. Nesses casos, desafio os pacientes a fotografarem suas fezes todo dia. Dessa forma, terão um registro das alterações no corpo, a recompensa por todo o trabalho duro para mudar de vida. Admito que esse tipo de registro não é para todo mundo. Mesmo assim, incentivo você a tentar, porque terá a prova concreta de que seu corpo está mudando com seu novo regime. Se tirar foto for algo explícito demais para você, faça uma anotação em seu diário, ao lado do que comeu e de quanto se exercitou. O funcionamento do intestino é tão importante quanto essas outras coisas. Faça esse registro e prometo que terá algumas boas surpresas à medida que muda seu estilo de vida.

Na verdade, é comum os pacientes me mandarem e-mails com a linha de assunto "CONSEGUI!", geralmente acompanhados de uma descrição detalhada das fezes, sua consistência, o fato de boiarem. Outros me mandam links para seus álbuns de 30 fotos da língua como prova de que estão se examinando todo dia, como pedi. Dizem que nunca pensaram que conseguiriam. Na verdade, estão dizendo que nunca pensaram que se importariam tanto com o funcionamento cotidiano do corpo. Mas agora se importam.

☾ ○ ☽ ●

Resolva pôr algumas dessas técnicas em prática hoje e você verá que fica muito mais fácil mudar sua rotina de sono, alimentação e exercícios. Marque na agenda ou ponha o alarme para tocar para se lembrar de verificar o pulso ou fazer uma breve meditação todo dia. Mesmo cinco minutos de meditação serão relaxantes e rejuvenescedores. Vão reapresentá-lo ao seu corpo.

A atenção plena é a chave de ouro da mudança, porque vai conectá-lo aos sinais que seu corpo lhe dá sobre o que precisa. Cada experiência sua cria um divisor entre o corpo e a mente. A meditação remove esse divisor e o leva de volta ao sentido pleno da palavra sânscrita *yoga*, a união entre o corpo e a mente.

4

DORMIR É O MELHOR REMÉDIO

● ○ ◐ ●

"Como você está dormindo à noite?" Esta talvez seja a pergunta mais reveladora a que meus pacientes respondem na primeira consulta. Do ponto de visto ayurvédico, o sono é tão importante para a boa saúde quanto a comida que ingerimos e o ar que respiramos, porque o corpo não pode prosperar privado de repouso. Se não equilibrar atividade e repouso, você desgastará suas forças, enfraquecerá o fogo digestivo e acabará encurtando sua expectativa de vida.

Além de oferecer descanso e rejuvenescimento, o sono nos afasta das ilusões trazidas pelos cinco sentidos. No sono você é transportado para um campo distante de consciência onde seu ego se dissolve e você existe em um estado mais puro. Enquanto dorme, seus estressores são liberados nesse campo, para seu corpo se reparar e aguardar seu retorno. No ayurveda o sono é considerado uma experiência espiritual que não deve ser reduzida para se assistir a um pouco de TV ou mandar mais algumas mensagens.

Mesmo assim, muita gente parece ter se resignado a uma vida sem um sono de qualidade. Os pacientes me dizem que gostariam de ter mais tempo para dormir ou que ficam deitados à noite, acordados, desejando estar dormindo, ou que usam remédios para ter mais horas de sono. Transformaram o sono num mistério e torcem para obter o suficiente para funcionar a todo vapor nos dias úteis.

Na Europa, pesquisadores que monitoram os padrões de sono de adultos que trabalham encontraram uma tendência perturbadora: na última década, as pessoas dormem quatro minutos a menos por ano. Quatro minutos não parecem muita coisa, mas se acumulam. Se fizer as contas, provavelmente você está dormindo, em média, 40 minutos a menos nos dias úteis do que há 10 anos.[1] As pessoas estão ficando acordadas até mais tarde ou demorando mais para adormecer, mas ainda têm que se levantar à mesma hora para chegar ao emprego no horário.

Meus pacientes com dificuldades para dormir me dizem que o maior problema de acordar sonolento é a sensação de que não conseguem se concentrar durante as primeiras horas de trabalho. Eles também afirmam que não têm fome pela manhã, mas ao meio-dia estão famintos e ficam beliscando qualquer coisa. Têm desejo por alimentos calóricos e pouco nutritivos, doces e cafeína. O peso vai aumentando, dizem eles, porque não conseguem seguir uma dieta.

Na verdade, é a própria falta de sono que muda o metabolismo e impossibilita emagrecer.[2] Primeiro, ela reduz a taxa metabólica de repouso, que é a quantidade de energia que o corpo usa durante o dia só para funcionar. Isso porque talvez o organismo sinta que precisa poupar energia quando não repousou o suficiente. Assim, quando você vive com déficit de sono, queima menos calorias num período de 24 horas, seja qual for seu nível de atividade. Ao mesmo tempo que queima menos energia, o corpo vai querer aquelas guloseimas doces e ricas em amido que podem dar ao sistema um surto de energia mas não contêm nutrientes. Mais uma vez, isso pode estar ligado à percepção do organismo de que precisa conservar ou acumular energia.

O mais preocupante é que a falta de sono perturba a capacidade que o corpo tem de processar energia e, principalmente, de processar esses açúcares simples que você tanto deseja. É possível apresentar resistência significativa à insulina depois de apenas cinco dias de sono reduzido.[3] Isso quer dizer que, ao fim de uma semana caótica trabalhando até tarde da noite, seu corpo se prepara para armazenar gordura. Mesmo que durma mais nos três dias seguintes, que é mais do que a maioria dos fins de semana permite, nesse período você provavelmente não conseguirá restaurar o nível normal de sensibilidade à insulina. Por outro lado, dormir bem normaliza o metabolismo e reduz a vontade de comer besteira. Se já sonhou emagrecer sem fazer absolutamente nada, tenho uma boa notícia para você: isso é possível, basta dormir cedo. É a melhor dieta que vai encontrar.

O sono também é um poderoso anti-inflamatório. As pessoas com déficit crônico de sono têm mais marcadores inflamatórios no corpo. Assim, se sofre de dor crônica ou apresenta risco de problemas cardíacos, provavelmente você precisa dormir mais. Digo a meus pacientes que, se não conseguem dormir na hora certa, nenhuma dieta vai torná-los magros e nenhuma rotina de exercícios vai deixá-los em forma. Ficarão mais suscetíveis a gripes e resfriados nos meses mais frios. Com o tempo, terão maior propensão a doenças metabólicas e cardiovasculares.

Monitore seu sono

As pessoas costumam relatar que precisam dormir mais ou querem dormir mais, mas, quando lhes pergunto quanto dormem em média, não sabem dizer. Talvez você saiba que o despertador toca cedo demais durante a semana e que tende a ficar acordado até mais tarde nos fins de semana porque pode dormir mais. Talvez também saiba que fica acordado até muito tarde em algumas noites e tem dificuldade para adormecer depois que apaga a luz. Mas é importante notar que o sono é um hábito, não só para a mente mas para o corpo. A observação dos diferentes padrões de sono nos dias úteis e nos dias de folga pode fornecer pistas importantes sobre aquela depressão das manhãs de segunda-feira e mostrar que, na verdade, dormir tarde nos fins de semana leva à insônia nos dias úteis.

Os estudiosos do sono estão agora interessados nos horários em que as pessoas dormem. Pesquisadores da Alemanha criaram um questionário para avaliar os hábitos de sono e medir como diferem nos dias úteis e nos fins de semana. É o chamado Questionário de Cronotipo de Munique (MCTQ, na sigla em inglês).* A noção de que as pessoas têm ritmos naturais de sono diferentes que podem ser medidos e quantificados por um questionário é uma premissa interessante.

O MCTQ tem sido usado por pesquisadores do mundo inteiro para recolher informações sobre os hábitos de sono. Centenas de milhares de pessoas responderam a esse questionário, informando idade, peso, altura e padrões de sono. Com esses dados, os cientistas podem obter insights sobre a correlação entre horário de dormir e obesidade, por exemplo. Também é assim que sabemos que a hora de dormir para quem trabalha tem sido progressivamente adiada na última década, embora a hora de começar a trabalhar não tenha mudado. As pessoas não estão necessariamente trabalhando até tarde da noite, mas ainda assim ficam acordadas até tarde e se levantam cedo. Muitas dormem a manhã toda no fim de semana ou tiram cochilos para compensar o sono perdido.

Só será possível mudar seu padrão de sono depois que você souber qual é ele, portanto o primeiro passo é começar a monitorar seu ciclo de sono e fazer a si mesmo as perguntas a seguir:

1. **Nos dias em que você sabe que terá que acordar cedo para trabalhar, a que horas vai dormir? E a que horas se levanta?** Essas perguntas ajudam a calcular quanto você dorme nos dias úteis e podem ser reveladoras. Muita gente fica acordada até meia-noite, mesmo nos dias de trabalho, sabendo que precisará se levantar em poucas horas. Mas essas pessoas me dizem que não conseguem adormecer antes da hora "habitual". Essa é a causa direta de sua privação de sono nos dias úteis. Interfere em seu funcionamento mental na manhã seguinte, assim elas não conseguem realizar muita coisa. E muda o modo de se alimentarem nos dias úteis. Muita gente que se sente grogue pela manhã pula o café da manhã e depois não entende por que come tanto no almoço ou por que belisca tanto no decorrer do dia.

---

* Você pode responder ao questionário (em inglês) em https://www.thewep.org/documentations/mctq/item/english-mctq-core.

2. Nos dias de trabalho, até que ponto você precisa do despertador para acordar? Cerca de 80% dos que responderam ao MCTQ dizem que precisam que o despertador toque para acordar.[5] Esse é outro sinal de privação de sono, mas também mostra que o corpo está desalinhado com seu ritmo natural.

3. Quanto tempo você leva para se levantar depois que o despertador toca? Para algumas pessoas, o despertador toca e elas estão plenamente acordadas. Isso pode ser um sinal de que seu sono é leve ou que você já tem um bom regime de sono. Outras precisam do botão soneca e se arrastam mesmo depois de terem saído da cama.

Talvez você argumente que é uma pessoa noturna e que essa moleza matutina é normal. Mas há algo mais em ação aqui. O corpo tem seu sonífero natural chamado melatonina, um hormônio que é liberado no cérebro pela glândula pineal e nos deixa sonolentos. A melatonina circula pelo corpo e ajuda a avisar aos órgãos e tecidos que o ciclo do sono se iniciou. Ela começa a ser liberada no início da noite e tem seu pico umas duas horas depois de você adormecer, então ela se reduz. Cerca de uma hora mais ou menos depois que ela sai do sistema, você acorda naturalmente.

Se estiver grogue pela manhã, é porque a produção de melatonina de seu corpo está desalinhada em relação a seu horário de trabalho. Ainda há muita melatonina no organismo, e tentar acordar é como tentar funcionar sob o efeito de um sonífero. Se não consegue adormecer à noite, talvez sua produção de melatonina esteja atrasada. Se não consegue acordar de manhã, talvez ainda esteja sob o efeito da melatonina latente. Não se preocupe. Há coisas que se pode fazer para mudar isso, e chegaremos a elas na próxima seção.

4. Nos dias de folga, a que horas você se deita? E a que horas acorda pela manhã? Cerca de 70% dos que responderam ao MCTQ dizem que alteram o padrão de sono em pelo menos uma hora nos fins de semana. Vão dormir cerca de uma hora mais tarde à noite e dormem uma hora a mais pela manhã. Além disso, cerca de 30% dos que responderam ao MCTQ dizem que seu padrão de sono muda duas horas ou mais nos fins de semana. Ficam acordados até muito mais tarde porque sabem que não têm que se levantar cedo no dia seguinte e pela manhã dormem duas horas a mais. Talvez você também faça isso, achando que dormir até mais tarde vai deixá-lo renovado para começar outra semana de privação do sono. Parece lógico. Infelizmente, não dá certo. Na verdade, alterar o padrão de sono no fim de semana cria um padrão natural de insônia nos primeiros dias úteis, o que leva à privação de sono. Também contribui para o ganho de peso e problemas digestivos e o deixa mais suscetível ao estresse.

Jet lag social

Se você dorme até mais tarde no fim de semana e se levanta cedo nos dias úteis, então seus horários de sono social e seus horários de trabalho estão fora de sincronia. Os pesquisadores chamam esse fenômeno de "jet lag social", porque reproduz no organismo o efeito de atravessar fusos horários. Em essência, quando fica acordado até meia-noite no fim de semana e tenta se reajustar para estar no serviço às 9h da segunda-feira, é como se você voasse 1.500 quilômetros na noite de sexta-feira e voltasse para casa na tarde de domingo.

Viajantes experientes sabem o que isso faz com o corpo. O jet lag causa privação de sono e confusão mental, sem dúvida. Também provoca problemas digestivos. Às vezes, os viajantes têm dor de estômago, prisão de ventre ou apenas se sentem indispostos e inchados. As pessoas que mudam de fuso horário constantemente também se cansam com mais facilidade, são mais suscetíveis a gripes e resfriados e mais sensíveis a estressores emocionais. Esses viajantes sabem que, quando voltam para casa, o corpo se reajusta. Se você vive com jet lag social todo fim de semana, seu corpo nunca tem a oportunidade de se normalizar.

O conceito de jet lag social e seus efeitos sobre o organismo são uma nova área de pesquisa, mas os estudos já mostraram que eles contribuem para as doenças metabólicas. Indivíduos com índice de massa corporal acima do normal correm um risco mais alto de desenvolver obesidade e diabetes tipo 2 quando sofrem jet lag social durante vários anos. Também tendem a ingerir cafeína e álcool para controlar o estado de vigília e o estresse.

Os pesquisadores monitoraram idade, altura e peso das pessoas que preencheram o questionário e descobriram que a privação de sono é mais aguda na adolescência e no início da idade adulta e declina de forma constante até a aposentadoria. Ainda assim, as agendas sociais e profissionais são as maiores responsáveis pela interrupção do sono. Embora as pessoas possam dormir fora da janela circadiana do sono (as horas noturnas), alguns estudiosos constataram que essas horas extras não permitem um sono de boa qualidade. Cochilar e ficar na cama até tarde nos fins de semana, por exemplo, não oferecem o repouso de qualidade que se pode obter dormindo quando o corpo espera dormir. Esse é um sono pesado que nos deixa grogues.

Além disso, o ritmo circadiano do dia estabelecido pelo NSQ começa quando acordamos e vemos a luz do dia. Se for às 9h ou 10h, o corpo vai registrar esse horário como a hora de acordar na manhã seguinte. Você só começará a sentir sono dali a umas 12 ou 15 horas. A digestão, a temperatura corporal, a pressão arterial, o nível hormonal e o nível de cortisol ainda estão tentando operar no ciclo natural de 24 horas. Estão funcionando como se fosse fim de semana, mesmo que não seja. Reduzem a potência depois do pôr do sol nas noites do fim de semana, mesmo que você esteja dançando numa festa. Talvez se sinta bem e desperto, mas muitos sistemas de seu corpo estão desesperados tentando repousar. No decorrer dos próximos dias, seu corpo pode se acostumar com o novo horário e, de acordo com ele, reajustará seu relógio biológico e todos os sistemas do organismo. Mas ficar dois dias acordado até tarde e depois voltar ao horário normal faz muito mais do que tornar uma chatice as manhãs de segunda-feira, provocando no corpo uma cascata de efeitos. Muda o funcionamento do organismo e, de forma mais imediata, inibe as metas de emagrecimento.

A primeira meta para mudar sua vida é estabelecer uma hora adequada para dormir e segui-la durante toda a semana. Sempre sugiro que você vá dormir às 22h30. É o fim do período *kapha*, de acordo com o dia ayurvédico, ou seja, naturalmente seu corpo estará um pouco pesado e sonolento. Mas, depois das 22h30, você entra no período *pitta*, quando provavelmente terá fome e estará desperto. Costumo dizer que às 22h30 sai o último ônibus para o bom sono.

O QUE ACONTECE QUANDO DORMIMOS?

Apesar de toda a pesquisa sobre os benefícios do sono e os problemas ligados a não dormir o suficiente, os cientistas ainda não sabem exatamente o que acontece quando dormimos. Nem por que dormimos. Já sabemos muito, mas o sono ainda é um pouco misterioso. Descobriu-se que, nas duas primeiras horas de sono, as células do cérebro trabalham para descartar detritos celulares. No resto do corpo o sistema linfático é usado para eliminar os detritos, mas o cérebro não tem sistema linfático. Ele precisa do sono para realizar esse processo.

Também descobriu-se que o sono vem gradualmente, em estágios. Os primeiros estágios são leves. Cerca de 90 minutos depois de adormecer, você entra no primeiro estágio de movimento rápido dos olhos, também chamado de sono REM. O primeiro ciclo REM dura uns 10 minutos, mas cada ciclo subsequente dura mais, e o último estágio REM pode durar até uma hora. No sono REM, seu cérebro está mais ativo e você pode sonhar. Entre esses ciclos, você entra no sono não-REM ou NREM, que é quando o corpo repara as células e fortalece o sistema imunológico.

Precisamos de pelo menos três desses ciclos REM e não-REM por noite, mas quatro ou cinco é melhor. Quando fica acordado até tarde, você atrasa o início dessa importante atividade cerebral e, provavelmente, atinge seu nível de sono mais profundo e restaurador exatamente quando o despertador toca, às 6h. Você saberá que está fazendo isso se o alarme toca e você acorda se sentindo grogue e desorientado. Talvez ache que é por não ser uma pessoa matutina, mas na verdade é porque enganou o cérebro e o corpo e eles não obtiveram o sono restaurador de que precisam.

Tudo o que os cronobiólogos estão aprendendo sobre o sono sustenta a visão ayurvédica de que deitar-se na hora certa é a melhor maneira de aproveitar os benefícios essenciais do sono, mesmo aqueles ainda misteriosos para nós.

Deixe a melatonina fluir

Muitos pacientes me dizem que adorariam se deitar mais cedo, mas só sentem sono depois da meia-noite. Eles me explicam que são "naturalmente" noturnos. Simpatizo com essa ideia, mas, para a maioria, simplesmente não é o caso. Embora seja verdade que você só sinta sono tarde da noite, isso se deve aos anos de treinamento para retardar o ciclo de sono natural do organismo. Você enganou seu corpo para que liberasse melatonina tarde da noite, e o atraso impede que você tenha sono na hora certa. É um tipo de insônia invisível com consequências reais para a saúde.

Carla me procurou queixando-se de ganho de peso e insônia, achando que os dois problemas não eram relacionados. Ela estava mais perplexa com os quilos extras, porque geralmente comia saladas no trabalho e costumava percorrer 12 ou mais quilômetros por dia como gerente de uma grande loja de departamentos.

Uma olhada mais atenta em seus horários revelou um problema comum a adultos que trabalham fora. Ela estava atrasando toda a sua rotina noturna. Se tem dificuldade para sentir sono às 22h ou 22h30, talvez você tenha criado uma rotina que impede a sonolência na hora certa. Muitos iniciam essa síndrome trabalhando até tarde no escritório, mesmo quando não é preciso. Eles dizem a si mesmos: *Só estou resolvendo algumas coisinhas*. Então, o jantar é adiado até as 20h ou 20h30. Aí, a inquietude se instala. Dão uma olhada nos canais da TV, nas mídias sociais, nas lojas on-line. Ou respondem a e-mails desimportantes com a desculpa de adiantar trabalho.

Todas essas atividades – trabalhar até tarde, comer tarde, interagir com aparelhos eletrônicos tarde da noite – têm o mesmo efeito sobre o organismo: adiam o início da sonolência natural. Retardam a produção de melatonina no corpo. Isso é um problema, porque a melatonina não é apenas uma substância que dá sono. Ela também circula na corrente sanguínea. Comunica-se com outros órgãos e sistemas e com os genes do relógio para avisar que o período de repouso e restauração do dia começou. Na verdade, seu corpo fica bem ocupado durante o ciclo do sono. Ele limpa os detritos das células e produz hormônios e enzimas de que você necessita para funcionar da melhor maneira no dia seguinte. Você precisa que essa melatonina se acumule nas primeiras horas após o pôr do sol e que atinja um nível crucial muito antes do início do noticiário. É assim que o corpo sincroniza seus genes do relógio com o relógio central do cérebro.

Se estiver totalmente desperto às 23h ou à meia-noite, você criou uma perturbação em seu ritmo circadiano, quer saiba disso, quer não. A maioria, como Carla, vê o efeito primeiro no ganho insistente de peso, mas isso contribui para todo tipo de problema, da azia à congestão, das dificuldades digestivas aos problemas cardíacos. Também provoca um estado de fadiga quase constante. Muita gente convive anos com essa dessincronização.

Quando Carla estabeleceu um horário certo para dormir, precisou desligar a TV duas horas antes e descobrir o que fazer nesse tempo extra. Ela escolheu tarefas domésticas leves, escrever no diário, um longo banho de banheira, alguma leitura antes de apagar as luzes às 22h30 e, então, um breve exercício de meditação na cama. Em poucas semanas, as noites se tornaram sua hora favorita do dia. Em vez de se postar diante da TV para se distrair sem pensar, ela se concentrava em si e em suas metas. Encontrou uma energia renovada para se socializar e para praticar seus hobbies no início da noite e nos fins de semana. É claro que também emagreceu. Na verdade, perdeu mais do que os 7 quilos que a levaram a meu consultório.

Muitos pacientes meus acham que têm um problema de peso ou de alimentação, mas, quando começam a seguir um bom regime de sono, eles emagrecem. Às vezes, perdem 5 quilos, mas já teve gente que perdeu até 15. Tudo fica mais fácil quando você se sente renovado pela manhã. É mais fácil fazer boas escolhas alimentares e ir à academia. É mais fácil lidar com o estresse no trabalho e em casa. Quando seu corpo trabalha em sincronia com o ciclo de luz e escuridão, todas as suas células e sistemas têm o desempenho que deveriam ter. Isso cria uma explosão de energia nova.

Luz natural: o ingrediente que falta para dormir bem

A maioria de nós passa grande parte do tempo em ambientes fechados. No inverno, há dias em que acordamos no escuro, ficamos sentados num cubículo longe da luz natural e depois voltamos para casa também no escuro. Isso cobra do corpo um preço físico e emocional.

A luz natural é o principal mecanismo pelo qual o corpo estabelece seu ritmo circadiano diário, e, quando não recebemos luz natural suficiente, o organismo se confunde com a hora de dormir e a de ficar acordado. Quando alguém me diz que não está dormindo bem e que se sente preguiçoso pela manhã, respondo: "Dê uma caminhada de 10 a 20 minutos toda manhã." Se fizer isso, você será a pessoa mais desperta do escritório. E dormirá melhor todas as noites.

Se isso for possível onde você trabalha, aconselho-o a fazer suas pausas ao ar livre. Dê uma volta no quarteirão em vez de tomar uma xícara de café. Ou leve o café com você. Apenas trabalhar perto de uma janela algumas horas por dia fará a qualidade de seu sono melhorar. Alguns pacientes meus usam despertadores especiais que também são lâmpadas. Em vez de usar som para despertar, a lâmpada se acende devagar e inunda o quarto com luz de espectro total. Eles gostam e dizem que isso os ajuda a se levantarem pela manhã. Outros usam lâmpadas de espectro total na luminária da mesa do trabalho, para receber mais luz durante o expediente. Acho que esses são aparelhos úteis, mas na verdade nada substitui o ato de sair ou se aproximar de uma janela algumas horas por dia. A luz natural melhora o sono e também o humor e a maneira de ver o mundo.

Isso foi recentemente demonstrado num pequeno estudo da Universidade Northwestern. Pesquisadores registraram os hábitos de sono de indivíduos que trabalhavam em escritórios com muita luz natural e os compararam com os daqueles que trabalhavam em cubículos e tinham pouca exposição à luz natural durante o dia. Os que trabalhavam em escritórios com muitas janelas e luz natural recebiam 173% mais exposição à luz branca durante o horário de expediente.[6] Também dormiam em média 46 minutos a mais por noite do que os outros. Quem trabalhava em lugares com janelas tinha mais probabilidade de se exercitar regularmente, ao passo que quem trabalhava em salas sem janelas se queixava de dormir mal e de ter o sono mais interrompido. Em termos gerais, esses últimos tinham menos energia e mais sintomas físicos.

Mesmo que só possa sair por alguns minutos poucas vezes por dia, você verá que sua disposição melhora, assim como a qualidade do seu sono. Ouvi pessoas dizerem que sua saúde e seu tempo de sono melhoraram depois de adotarem um cachorro. E isso faz sentido para mim, porque uma coisa que você tem que fazer todo dia é levar o cão para passear. É preciso sair e dar pelo menos uma volta no quarteirão com ele de manhã cedinho. Talvez você tenha que levar o cão para passear várias vezes por dia, ou seja, está ficando mais tempo ao ar livre, na luz natural, o que vai ajudá-lo a sentir sono à noite e reajustar seu ritmo circadiano. Ninguém é obrigado a adotar um cachorro se realmente não quiser; só quero lembrá-lo de que seu corpo também tem necessidades – e de que leve a *si mesmo* para passear.

Luzes noturnas

A orientação de desligar a TV e esconder o controle remoto depois das 20h30 ou 21h é difícil para muita gente. Mas o sono não é algo que simplesmente acontece – é algo para o qual você e seu corpo têm que se preparar. Quando digo às pessoas que precisam desligar seus aparelhos eletrônicos para emagrecer e melhorar a saúde, elas protestam. Um homem quase foi às lágrimas quando me disse: "Não me tire meus programas de tarde da noite. É tudo o que tenho."

Por um lado, entendo que a vida moderna seja estressante. Ouvi de muita gente que seu período favorito do dia é tarde da noite, quando as crianças estão dormindo e ninguém sensato vai esperar que você responda a e-mails de trabalho. A casa finalmente está em silêncio, e você só quer ver TV e desligar a cabeça ou pegar seu leitor eletrônico e mergulhar num livro. Ou talvez queira jogar videogame ou fazer compras na internet. É o que muitos chamam de "tempo para mim". Mas o "tempo para mim" mais importante é o que você dá ao seu corpo para que ele não venha a pifar.

Quase todos os adultos americanos usam algum tipo de aparelho eletrônico pelo menos algumas noites por semana, e com isso quero dizer celulares, tablets ou computadores. (E os que não gostam de trocar mensagens e e-mails à noite provavelmente assistirão à TV para relaxar.) Mas o que esses aparelhos eletrônicos realmente fazem com o cérebro? Eles emitem apenas uma fração da quantidade de luz natural a que você se exporia numa caminhada durante o dia. Será tão ruim assim?

Estudos mostram que usar aparelhos eletrônicos à noite tem um efeito negativo sobre o sono. Uma teoria é que esses aparelhos têm mais luz com comprimento de onda curto, ou seja, a luz emitida por eles contém mais luz azul do que a luz natural. Acontece que somos muito sensíveis a essa luz azul, que deixa o organismo mais alerta. Mesmo que a luz dos aparelhos eletrônicos não seja tão forte quanto a luz natural, sua saturação no espectro do azul a faz atuar no cérebro de forma semelhante à luz do dia. Assim, se estiver mandando e-mails ou jogando no celular tarde da noite, você estará suprimindo a produção de melatonina e alterando seu relógio biológico.

Num estudo, 12 adultos receberam leitores eletrônicos que emitem luz ou livros tradicionais e foram instruídos a usá-los nas quatro horas antes de dormir. Em quatro dias, os que usavam leitores eletrônicos relataram que tiveram mais dificuldade de adormecer no horário normal. Em média, levaram 10 minutos a mais para pegar no sono, comparados aos que leram um livro tradicional com luz fraca. Não parece muito, mas, pela manhã, os participantes que usaram leitores eletrônicos disseram que se sentiram menos despertos e que precisaram de mais tempo para se levantar.[7] Além disso, os pesquisadores descobriram que eles tiveram menos sono REM, embora tenham dormido o mesmo número de horas que aqueles que leram em papel. Seus exames de sangue mostraram um nível mais baixo de melatonina na hora de dormir do que os que leram livros tradicionais, indicando que o organismo suprime a produção de melatonina quando usamos leitores ou outros aparelhos eletrônicos que emitem luz, da mesma maneira que o faz nas horas diurnas.

Parece exagero pensar em usar um leitor eletrônico durante quatro horas sem parar, mas, se você considerar todos os aparelhos eletrônicos que usa no decorrer da noite, como celulares, tablets e computadores, não é tão inusitado assim. Alguns celulares são bem mais luminosos do que os leitores eletrônicos, e as pessoas tendem a segurá-los mais perto dos olhos. Assim, os celulares podem perturbar ainda mais seu ciclo do sono. Muitos adolescentes e adultos jovens revezam entre o tablet, o leitor eletrônico, o computador e o celular o dia e a noite inteiros. Eu me pergunto quanta dificuldade terão para dormir quando chegarem à idade adulta se não souberem desligar tudo e se preparar para dormir.

Por mais difícil que seja, é preciso desligar tudo isso cerca de duas horas antes de adormecer. Seu cérebro precisa de um tempo longe da luz artificial emitida pelos aparelhos para iniciar a circulação de melatonina. E você precisa de uma pausa do trabalho estressante ou dos meios de comunicação que mexem com suas emoções. Esse é o momento de aquietar o corpo e a mente, para que o sono venha aos poucos. As pessoas costumam me dizer que parece muito bom, mas perguntam: "E o que faço em lugar disso?"

1. **Abra um livro ou uma revista.** Agora é hora de ler os romances na mesa de cabeceira ou os números atrasados de suas revistas. Um paciente meu reuniu todas as revistas de sua área que deveria ler, deixando-as ao lado da cama, e aproveitou esse tempo para colocar sua leitura em dia. Depois da primeira semana, sua insônia desapareceu.
2. **Experimente uma massagem com óleo.** Você pode usar óleo de gergelim ou azeite comum para fazer uma leve massagem no corpo. Mesmo que seja só nos pés, é muito relaxante. O óleo em si é absorvido pela pele com seus ácidos linoleicos e, além de hidratar, atua como relaxante natural.
3. **Tome um banho.** Muitos pacientes meus passaram a deixar para tomar banho perto da hora de dormir porque a água morna os ajuda a se livrar do estresse do dia. Para quem sofre de insônia ou tem dificuldade para acalmar a mente num período estressante, um banho de banheira pode ser ainda melhor. Alguns pacientes se banham depois da massagem e descobrem que esse é o momento do dia pelo qual esperam. Vão para cama se sentindo limpos e relaxados.
4. **Beba um pouco de leite de amêndoas morno.** Algumas pessoas dizem que sentem fome na hora de dormir, e isso as deixa inquietas e incapazes de relaxar. Depois da primeira semana do novo horário de dormir, essa sensação de fome deve ceder, mas até lá você pode aquecer uma xícara de leite de amêndoas (ou leite comum) e polvilhar com um pouco de açafrão e canela. Ingerir um líquido morno e cremoso à noite ajuda a relaxar.
5. **Escreva em seu diário.** Uma das razões pelas quais Carla não conseguia dormir era que ficava ansiosa à noite. E esse era um dos motivos para ela recorrer à televisão, uma distração segura para sentimentos indesejados. Quando nos sentimos distanciados de nossas metas na vida, é

sempre tentador buscar distrações. Em vez de fugir de seus sentimentos, você pode escrever sobre eles. Alguns estudos mostraram que escrever sobre seus problemas ou sobre um acontecimento angustiante durante apenas 20 minutos ajuda a descarregar os sentimentos negativos e a se sentir mais em paz, mesmo que o problema ainda não esteja resolvido.[8] Agora Carla escreve regularmente e diz que o hábito a ajuda a relaxar e a pensar criativamente sobre suas metas e lidar melhor com situações complicadas no trabalho.

Faça-se a luz

Em laboratórios do sono do mundo inteiro, os cientistas estudam o efeito da perturbação do sono sobre o ritmo circadiano e o organismo. Pouquíssimos pesquisam maneiras de obter uma ótima noite de sono, e isso é péssimo, porque é o que todos procuramos, não é? Ainda bem que alguns estudiosos estão interessados nas condições que podem melhorar o ritmo circadiano do corpo.

Num experimento recente, pesquisadores melhoraram enormemente os padrões de sono dos participantes do estudo simplesmente levando-os para acampar. Nesse estudo, um grupo foi levado para as Montanhas Rochosas do Colorado em julho, no verão. A rotina dos integrantes do grupo foi observada durante uma semana para que os cientistas acompanhassem seus ciclos de sono e vigília. Os pesquisadores também usaram aparelhinhos chamados Actiwatches para acompanhar a atividade diária e observar a quantidade de luz a que estavam normalmente expostos. Durante os seis dias do acampamento, essas pessoas foram instruídas a não usar o celular nem lanternas ou lampiões. Foram incentivadas a usar a fogueira como fonte de luz depois do anoitecer, mas não podia haver luz elétrica.

Quando voltaram, os pesquisadores descobriram que o ciclo do sono dos campistas tinha melhorado drasticamente.[9] Iam dormir mais de uma hora antes do habitual e acordavam mais perto da aurora, sem nenhum alarme. Além disso, a produção de melatonina no cérebro mudou. Nos dias após o fim do acampamento, os participantes liberaram melatonina cerca de duas horas antes do normal. O pico era mais cedo, na primeira metade do ciclo do sono, e se reduzia algumas horas antes do amanhecer. O importante é que, antes de irem acampar, os participantes iam dormir por volta de 0h30 e acordavam por volta das 8h. Depois do acampamento, tendiam a adormecer por volta das 22h30 e a acordar naturalmente com os primeiros raios de sol. Ainda mais interessante foi o fato de que, enquanto acampavam, os participantes se expuseram a uma quantidade quatro vezes maior de luz do que se expunham normalmente no verão, apesar da falta de aparelhos elétricos na floresta.

Talvez pareça óbvio. É claro que iam dormir mais cedo! Afinal de contas, num acampamento a gente acende a fogueira ao pôr do sol, prepara a comida e depois fica sentado olhando as estrelas e batendo papo. Não há séries para assistir, e-mails para ler nem prazos de trabalho para cumprir.

Não é realista pensar que podemos vencer a insônia passando uma semana na montanha sem energia elétrica; no entanto, é fascinante a rapidez com que o corpo se adapta ao ciclo natural de luz e escuridão quando tem oportunidade. O nível de melatonina no cérebro – o sinal natural mais forte do corpo para o sono – se adapta e trabalha a seu favor quando a oportunidade surge. E essa mudança pode acontecer mais depressa do que você imagina.

Incentivados pelo resultado desse primeiro acampamento, os pesquisadores decidiram fazer um novo experimento. Dessa vez, alguns participantes foram mandados para a mesma área de montanha perto do solstício de inverno, quando os dias são mais curtos, enquanto outro grupo ficou em casa para ser monitorado em sua rotina regular. A experiência durou um fim de semana.[10]

Depois de apenas dois dias, os campistas de inverno haviam transformado seu ciclo de sono e a química do cérebro. Foram dormir mais cedo, dormiram por mais tempo e mais profundamente e acordaram ao amanhecer sem despertador. Apesar dos dias mais curtos de inverno, os campistas foram expostos a cerca de 13 vezes mais luz natural do que os colegas que ficaram em casa.

Pense nisto. As pessoas que ficaram em casa tinham luz elétrica em todos os cômodos, iluminação ao ar livre, televisão, lanternas e celulares e ainda se expuseram a uma fração da quantidade de luz ultravioleta que receberam as que acamparam nos dias mais curtos do ano. O cérebro dos campistas liberou melatonina mais cedo, e a quantidade de melatonina teve seu pico mais cedo e diminuiu nas horas anteriores à aurora, tornando o momento de acordar muito mais fácil. Por outro lado, o nível de melatonina das pessoas que não saíram da rotina começava a subir por volta das 22h30, ou seja, elas só sentiam sono depois da meia-noite. A melatonina tinha o pico entre as 2h e as 3h e ainda as afetava quando acordavam às 8h.

Uma peculiaridade da vida moderna é que muita gente se sente mais grogue uma ou duas horas depois de acordar. Sobreponha essa produção de melatonina ao dia de trabalho, no qual a pessoa fica acordada até depois da meia-noite porque não tem sono e o despertador toca às 6h, quando a produção de melatonina no cérebro ainda está em redução.

O dado mais importante que esse estudo revela é que o cérebro consegue se endireitar muito depressa. Em 48 horas, os campistas reajustaram completamente seu ritmo circadiano. Para muita gente, a insônia resulta de excesso de luz falsa à noite e luz natural insuficiente durante o dia. Na verdade, a ausência de luz natural pode ser um fator importante para explicar por que as pessoas não conseguem dormir no horário. Portanto, se você ainda tem dificuldade para dormir na hora certa, tente se expor mais à luz natural durante o dia, principalmente pela manhã.

A HORA DAS REFEIÇÕES E O SONO

A hora das refeições pode ter um efeito imenso sobre a qualidade do sono. Fazer uma refeição pesada no início da noite ou beliscar mais tarde vai interferir na capacidade do corpo de relaxar. Talvez pareça contraditório, porque uma grande refeição pode nos deixar grogues. Na verdade, o organismo não consegue digerir comida à noite. O processo digestivo desacelera bastante depois que escurece, então qualquer alimento ingerido ficará fermentando no intestino. Isso provoca gases, dor de estômago e azia, o que leva a um sono agitado. Pior ainda, o corpo pode produzir muco ou congestão por receber comida tarde da noite. Médicos especializados em tratar o refluxo gastresofágico costumam sugerir aos pacientes que jantem mais cedo – às 18h e não às 21h – para reduzir o problema. Eles também sabem que sintomas relacionados, como congestão, tosse persistente, sinusite e até alergia, pioram quando as pessoas comem mais tarde. (Sobremesas densas, como o sorvete, são especialmente prejudiciais ao sono.) Esses sintomas se resolvem muito bem quando você faz a última refeição do dia a tempo de permitir que o organismo realize a digestão.

Um jantar leve às 18h fará maravilhas pelo seu sono. Abrir mão dos lanches tarde da noite também pode ajudar a dormir melhor por reduzir os problemas estomacais noturnos.

Embora ter uma rotina de sono correta faça muito bem a todos, o sono de qualidade traz benefícios específicos para cada tipo de pessoa. Você pode ter dificuldades de sono diferentes, dependendo de seu tipo corporal. No próximo capítulo, vou ajudá-lo a descobrir o seu tipo de sono e lhe dar algumas dicas para trabalhar a favor de seu tipo corporal e obter o melhor sono restaurador para você.

5

A ROTINA DE SONO CERTA PARA VOCÊ

● ○ ◐ ●

A qualidade do seu dia depende da qualidade do sono desfrutado na noite anterior. Isso significa que você precisa saber como se preparar para dormir bem, e essa preparação depende do seu tipo de sono.

A maioria de nós se vê como uma pessoa noturna ou matutina. Mas a situação é um pouco mais complicada. Você pode ser uma pessoa de sono leve com dificuldade para adormecer ou ter sono pesado e dificuldade para acordar. Algumas pessoas adormecem facilmente e despertam de madrugada por estresse ou ansiedade.

No ayurveda há três tipos corporais ou *doshas* que descrevem a tendência do organismo em relação a sono, alimentação, exercícios físicos e visão de mundo. Embora todos os nossos ritmos circadianos dependam do sol, isso não significa que todos os corpos reajam de forma idêntica. No ayurveda, conhecer seu tipo de corpo é essencial, já que ele configura o modo de lidar com o estresse, de fazer a transição do sono para a vigília e a reação a várias temperaturas e alimentos. Portanto, embora seja essencial que todos tenham uma rotina noturna para promover o sono, nem todas as rotinas serão iguais. E tudo bem. Você quer trabalhar a favor de seu corpo, não contra ele.

Depois de estabelecer sua nova rotina de sono, você notará um aumento do nível de energia e concentração. Seu humor vai melhorar. Talvez você também comece a emagrecer.

O questionário abaixo ajudará a identificar seus hábitos na hora de dormir e pode lhe dizer muito sobre como obter uma boa noite de sono. Lembre-se: não existe resposta errada e tudo bem se em algumas perguntas nenhuma das opções se encaixar perfeitamente. Tente encontrar a resposta que chega mais perto de descrever a sua realidade.

1. Meu tipo físico natural seria considerado:
   a. Magro ou miúdo.
   b. Forte ou alto.
   c. Robusto, seja qual for a altura.

2. Quando me queixo da temperatura do quarto, geralmente reclamo que:
   a. Estou com frio, ou com as mãos e os pés frios.
   b. Está quente demais. Estou suando.
   c. Está abafado ou úmido demais.

3. Quando tenho insônia, geralmente é porque:
   a. Passo muito tempo tentando relaxar o suficiente para adormecer.
   b. Acordo antes da hora e não consigo voltar a dormir.
   c. Sinto desconforto físico ao me deitar ou durante a noite.

4. Em termos físicos, sei que terei dificuldade para dormir se:
   a. Estiver com frio. Mesmo sob as cobertas, não consigo me aquecer.
   b. O quarto estiver quente demais ou eu acordar suando.
   c. Não conseguir encontrar uma posição confortável.

5. Em termos emocionais, sei que terei dificuldade para dormir se:
   a. Meus pensamentos estiverem fervilhando de medo ou empolgação, ou se eu ficar repassando uma conversa que não foi boa.
   b. Eu tiver um prazo urgente ou me sentir sobrecarregado de trabalho. Tenho coisas em excesso para fazer.

c. Eu estiver preocupado com a saúde ou com alguém próximo que passa por dificuldades.

6. Quando tento uma dieta nova, sei que acordarei no meio da noite por estar com muita fome.
   a. Não.
   b. Sim.
   c. Às vezes.

7. Na primeira hora depois de acordar, eu me sinto:
   a. Desperto, mas ainda me recompondo. Preciso de café ou da rotina para conseguir me concentrar.
   b. Completamente desperto. Confiro os e-mails antes de pôr os pés no chão.
   c. As manhãs são difíceis. Gosto de começar o dia lentamente.

8. Nas noites em que fico acordado até mais tarde do que deveria, em geral é porque:
   a. Tenho novo ânimo depois das 22h e me empolgo para encarar um filme ou um projeto.
   b. Embora esteja cansado, tento resolver mais coisas de minha lista de tarefas, ou não consigo largar um projeto urgente.
   c. Estou num programa com os amigos e não consigo escapar.

9. Meu(minha) parceiro(a) diz que o(a) mantenho acordado(a) porque:
   a. Fico me virando.
   b. Jogo as cobertas longe.
   c. Ronco.

10. Quando o desconforto físico me mantém acordado, geralmente é porque:
   a. Estou dolorido ou minhas pernas estão inquietas e ativas.
   b. Tenho azia.
   c. Não consigo ajeitar os travesseiros para dar conforto ao pescoço.

11. Quando não tenho uma boa noite de sono, meu maior problema no dia seguinte é me sentir:

   a. Distraído e exausto, incapaz de funcionar direito.

   b. Irritável por ter pouca energia. Não estou no melhor de mim.

   c. Grogue ou congestionado a princípio, mas consigo melhorar no meio da manhã.

12. Quando acordo no meio da noite, geralmente é porque:

   a. Qualquer ruído, sonho ou mudança de luz me acorda.

   b. Estou com um problema sério que não me deixa em paz.

   c. Não sei o que me acorda.

13. Quando acordo uma ou duas horas antes do horário ideal, eu:

   a. Tento voltar a dormir, porque descansar é importante para mim.

   b. Começo a pensar em tudo o que tenho para fazer.

   c. Fico alegre, porque posso dormir mais.

14. Minha disposição natural poderia ser descrita como:

   a. Gregária, inquisitiva ou ansiosa.

   b. Motivada, determinada ou ativa.

   c. Tranquila, serena ou generosa.

15. Embora seja um pouco injusta, a queixa que sempre ouço das pessoas queridas é que:

   a. Tento fazer coisas demais ou não termino o que começo.

   b. Sou um pouco autoritário ou defensivo.

   c. Não consigo tomar decisões, ou acabo cedendo para deixar os outros felizes.

16. Em termos das estações, meus padrões de sono e humor mudam no inverno porque:

   a. O ar fica tão seco que me sinto inquieto e desconfortável.

   b. É mais fácil dormir quando a casa está mais fresca.

   c. É dificílimo me levantar quando o céu ainda está escuro.

17. Meus padrões de sono e humor mudam no verão porque:

a. Eu me sinto mais feliz e durmo melhor quando há mais luz natural.

b. Amo a luz do sol, mas os dias quentes me deixam frustrado, irritado e incapaz de dormir.

c. Adoro o verão, mas às vezes tenho problemas com alergias sazonais. Os dias úmidos são terríveis.

18. Quando sonho, costumo sonhar com:

a. Alguém me perseguindo ou algum tipo de desastre.

b. Sonhos relacionados a ações, planos ou reprises do que aconteceu durante o dia.

c. Grandes volumes de água.

TOTAL: A: _____ B: _____ C: _____

Se você respondeu A à maioria das perguntas, provavelmente tem sono leve. Se respondeu B, tem o que chamo de sono variável; e se, na maior parte, respondeu C, você tem sono pesado. É possível que as respostas sejam misturadas. Você pode responder metade A, metade B, por exemplo. Tudo bem. Algumas pessoas têm padrão de sono misto, e nesse caso você deve ler as duas seções que se aplicam ao seu caso.

Sono leve

Se respondeu A à maioria das perguntas, você é um caso clássico de sono leve. Em termos ayurvédicos, seria chamado de tipo *vata*, relacionado ao ar e ao éter. Como o ar, você está constantemente mudando e se mexendo. Tem uma grande variedade de interesses, faz conexões entre coisas disparatadas e talvez trabalhe numa área criativa. Às vezes tem dificuldade para se decidir ou para escolher um curso de ação e talvez se distraia facilmente.

Em termos de movimento, pode ser propenso a ficar irrequieto, a falar com as mãos ou a andar depressa, o que é um reflexo de seus pensamentos rápidos. Pense numa borboleta, bonita mas com a tendência de voar de uma coisa a outra, sempre buscando novidades. Talvez você fale muito e seja naturalmente sociável. Se for tímido, talvez tenha muitas ideias sobre o que dizer, mesmo que não se expresse bastante. Adora multitarefar e não prioriza a arrumação, porque tem várias coisas de que gosta na vida e porque está sempre fazendo 10 coisas ao mesmo tempo.

Em termos de características físicas, você tem mais probabilidade de ser naturalmente magro e tendência a ter pele seca. Em termos ayurvédicos, pensamos nessas pessoas com sono leve como mutáveis, como o ar que nos cerca. Sua energia vem e vai em ondas, como seu apetite e seu humor. Para você, o futuro é um campo vasto e aberto; mal pode esperar para chegar lá e está sempre fazendo planos e pensando em contingências, mesmo que não sejam muito práticas. Está o tempo todo perguntando: e se?

Então o que tudo isso significa em termos de sono? Como se pode adivinhar, quem se mexe constantemente na vida terá dificuldade para sossegar numa única posição para dormir. O maior problema das pessoas com sono leve é o excesso de estímulos. Você tende a ser facilmente fisgado pela internet, por filmes dramáticos ou mensagens empolgantes de amigos, que perturbam seu horário regular. Embora acorde com facilidade pela manhã, ir dormir é um desafio contínuo e é provável que esteja plenamente acordado à meia-noite, envolvendo-se com distrações para adiar a hora de se deitar.

As pessoas com sono leve são as que mais recorrem a medicamentos para dormir, porque não conseguem relaxar. Mas essas mesmas pessoas são as que mais sofrem com os efeitos colaterais desses remédios, sentindo-se dispersas na manhã seguinte. Em geral, quem tem sono leve não descansa o suficiente durante o dia e se exaure. Ironicamente, isso torna mais difícil irem dormir cedo o suficiente para obter o repouso de que precisam. Talvez sofram com a síndrome das pernas inquietas ou sintam dores pelo excesso de exercícios que as mantêm acordadas.

Se você tem sono leve, eis algumas coisas que pode fazer para adormecer na hora certa:

Minimize os estímulos antes de se deitar. Embora todos os tipos corporais precisem reduzir o tempo diante das telas antes de dormir, isso é absolutamente essencial para quem tem sono leve. Mas também é bom tomar cuidado com todos os tipos de estímulo emocional. É preciso se desligar de conflitos emocionais, programas de TV violentos e sessões de compras pela internet umas duas horas antes de dormir. Nada de e-mails ou mensagens de trabalho. Eles só vão deixá-lo ansioso na hora em que deveria estar relaxando. Em vez disso, você precisa pensar nesse período como seu tempo pessoal para recarregar. E, por fazer muitas coisas ao mesmo tempo e se exaurir o dia inteiro, você precisa desse tempo mais do que todos os outros tipos corporais. Essa regra tem que ser cumprida à risca. Qualquer explosão de adrenalina fará a mente acelerar, e é necessário tempo para se acalmar e relaxar. Você deve se vigiar para desligar o celular, o tablet e o leitor eletrônico (se emite luz) também, já que as pessoas com sono leve são especialmente vulneráveis à luz das telinhas. Essa luz azul retardará seu ritmo circadiano de um jeito prejudicial. Como alternativas, considere música relaxante, uma rápida massagem com óleo ou uma leitura leve. Se estiver sentindo que algum conflito do dia permanece em sua mente, descarregue-o escrevendo em seu diário. Isso lhe permitirá tornar seus pensamentos concretos, de modo a não deixá-lo obcecado com eles. O diário também é um bom lugar para reunir ideias sobre o futuro, algo que quem tem sono leve adora fazer.

Aqueça mãos e pés antes de se deitar. As pessoas com sono leve detestam sentir frio. Na verdade, o frio provoca ansiedade, mas as mãos e os pés geralmente ficam frios por causa da má circulação. Aqueça-se com uma massagem com óleo ou mergulhe os pés em água morna. Alguns pacientes meus consideram o banho noturno de banheira ou chuveiro um luxo importante, porque os aquece e os deixa mais sonolentos. Talvez você também precise de várias camadas de cobertores para não acordar com frio.

Inicie uma meditação noturna. Muitos estudos mostram que um pouco de meditação durante o dia ajuda a evitar a insônia. Quando você consegue observar seus pensamentos, torna-se mais capaz de se libertar deles. Além disso, quem medita regularmente tende a se sentir menos ansioso com o fato de não conseguir adormecer de imediato. Tente programar uma meditação sentada toda noite. Você pode começar com cinco minutos e ir aumentando até 20 minutos por dia. Para quem não medita, sugiro escrever um pouco no diário à noite, o que traz efeitos semelhantes. Se houver muita dificuldade de adormecer, experimente uma técnica chamada *yoga nidra*, que, em essência, é meditar deitado na cama: deite-se, apague as luzes e, em vez de deixar os pensamentos correrem soltos, concentre-se na respiração e conte as inspirações. Diferentemente da meditação sentada, você não precisa do temporizador nem se preocupar com o risco de adormecer – afinal, essa é a meta. Concentre-se na respiração e observe se há alguma tensão no corpo enquanto inspira e expira. Em poucos minutos, você passará a um estado relaxado e levemente sonolento que é muitíssimo restaurador. Se praticar isso por semanas ou meses, talvez sinta a leveza ou a gratidão que acompanha os estados meditativos. Essa prática pode trazer ideias, criatividade e um sentimento de conexão com o mundo.

MANTENHA O QUARTO ESCURO E SILENCIOSO. As pessoas com sono leve se mexem muito durante a noite, buscando aquela posição única, quente e relaxante. Seu parceiro talvez diga que dormir a seu lado é como dormir com um peixe que não para de pular. Além disso, você acorda a cada barulhinho, cada mudança da luz, cada sonho impressionante e tem dificuldade para voltar a dormir. Sua mente está em alerta máximo mesmo durante o sono, portanto ter um ambiente escuro e silencioso é fundamental. Talvez você precise investir em cortinas blecaute para manter o quarto escuro.

HIDRATE SEU CORPO E SUA CASA. Talvez você perceba que a insônia piora nos meses de inverno, quando o ar é mais seco. Sua pele e suas vias nasais podem ficar irritadas. A palavra-chave nos meses de inverno é "hidratação". Divida seu peso por 30 e você saberá quantos litros de água deve beber por dia. Evite cafeína à tarde e álcool à noite, porque eles desidratam ainda mais o corpo e o tornam menos capaz de lidar com o estresse. Talvez seja bom investir num pequeno umidificador. No inverno, a alimentação precisa conter alimentos ricos em gordura, como nozes, peixes gordurosos e queijo. Uma alimentação totalmente sem gordura não é boa para quem tem sono leve, porque essas gorduras saudáveis são necessárias para manter a pessoa hidratada e estável.

POR QUE VOCÊ DEVE DESISTIR DOS REMÉDIOS PARA DORMIR

Alguns anos atrás, um paciente me procurou se queixando de insônia. Na verdade, ele estava preocupado com o hábito de tomar medicamentos para dormir em algumas noites. Embora não os tomasse toda noite, ele queria parar de usá-los porque não gostava da ideia de precisar de um comprimido para adormecer. Cirurgião bem-sucedido, ele não se sentia tão atento quanto gostaria na manhã seguinte quando tomava o remédio. Por outro lado, sua vida era extremamente ocupada e estressante, e ele também se preocupava em dormir a quantidade certa de horas. Por ele ser médico, não precisei lhe dizer que tomar soníferos dificulta adormecer na noite seguinte àquela em que o remédio foi usado.

Dependendo da pessoa com quem você conversa, os remédios para dormir podem ser uma invenção brilhante ou um flagelo moderno. Meus pacientes se referem a eles das duas maneiras. Adoram a conveniência de tomar um comprimido e acreditar que sentirão sono em pouco tempo, mas detestam ter que tomar remédio para fazer algo tão simples quanto adormecer. Nada disso me surpreende. Os médicos passam cerca de 40 milhões de receitas de indutores do sono por ano, mas metade dos adultos diz que não consegue ter um sono adequado.

Os soníferos vendidos com receita parecem muito sedutores porque provocam rapidamente a desejada sonolência. Parece um bônus para quem só quer pensar em dormir poucos minutos antes de se deitar. Isso é mais verdadeiro para quem tem sono leve e esquece de relaxar antes de dormir.

Se você usa remédios para dormir, é importante saber o efeito que têm no cérebro. Caso queira abrir mão deles, você precisará controlar melhor como seu corpo se prepara para dormir, porque suas dificuldades com o sono são específicas, baseadas em seu tipo corporal, e você deve resolvê-las para dormir na hora certa.

Nem todos os soníferos são iguais. Há analgésicos vendidos sem receita que servem de auxiliares do sono, mas também há dois tipos comuns de soníferos vendidos com receita. É importante saber como funcionam para entender que, na verdade, eles não sustentam uma boa noite de sono restaurador.

Em pequenas doses, os **benzodiazepínicos** provocam relaxamento muscular e podem reduzir a ansiedade que causa insônia em algumas pessoas. Em dose maior, inibem a memória, a coordenação e a emoção. Também interferem no sono com movimento rápido dos olhos (REM) e impedem que você tenha um sono profundo, que é quando o crescimento e o reparo dos tecidos acontecem no corpo.

Os **medicamentos agonistas do GABA** (Ambien ou zolpidem, Lunesta ou eszopiclona, Sonata ou zaleplon) se ligam a alguns receptores GABA no cérebro para provocar sonolência.

Essas duas classes de medicamentos são substâncias controladas por causa da propensão para o uso excessivo. Minha maior preocupação com elas é que ambas têm meia-vida longa no organismo. A meia-vida é o tempo de que o corpo precisa para metabolizar metade da dose. Seu fígado talvez ainda esteja metabolizando um benzodiazepínico dali a 10 horas, e alguns deles exigem mais de 18 horas para serem completamente eliminados do corpo. (O zolpidem é a exceção, com meia-vida de duas horas e meia.) Se forem combinados com bebidas alcoólicas, esses medicamentos ficam ainda mais tempo no organismo. É claro que, à medida que envelhecemos, o corpo precisa de mais tempo ainda para se livrar completamente do remédio e de seus efeitos – que podem incluir atordoamento na manhã seguinte, dificuldade de cumprir tarefas complexas e problemas de memória, os mesmos efeitos colaterais que as pessoas têm quando não dormem.

Quem tem dificuldade para dormir prefere soníferos que funcionem depressa, em parte porque a maioria só resolve pensar no processo de dormir poucos minutos antes da hora em que quer adormecer. A verdade é que o bom sono começa quando você acorda. Você o aprimora fazendo todo dia as boas escolhas de se exercitar, comer na hora certa e se preparar para dormir bem antes de se deitar.

Quem está tentando largar os soníferos prescritos pelo médico pode usar melatonina, um suplemento vendido sem receita. Não é um sonífero, mas algo que põe no organismo um pouco da melatonina natural do corpo na hora certa para estimular o sono.

A melatonina é o hormônio liberado no cérebro que faz você se sentir sonolento. Na verdade, embora seja liberada no cérebro, ela circula pela corrente sanguínea. Portanto, você pode tomar uma dose oral a fim de estimular a sonolência natural do corpo. Mas a melatonina também ajuda a coordenar os relógios dos tecidos e órgãos com o relógio principal no cérebro, de modo que o sono que você tem é mais restaurador para o corpo inteiro. Ela não funciona exatamente como um sonífero; não faz você dormir. Em vez disso, reforça os gatilhos naturais de sonolência do corpo e dá ao organismo um forte sinal para passar ao ciclo do sono.

Recomendo às pessoas que tomem esse suplemento na hora ou um pouco antes da hora em que gostariam de dormir nas próximas noites. Se quiser sentir sono às 22h, então tome o suplemento de melatonina às 21h30 ou 22h durante duas ou três noites seguidas e você notará que passará a sentir sono naturalmente nessa hora. (A melatonina tem outros benefícios para o sistema digestivo, e falarei mais sobre isso no Capítulo 6.) Essa não é uma solução para a insônia, porque você precisa estabelecer uma nova rotina de sono eliminando aparelhos eletrônicos, comendo mais cedo e recebendo mais luz natural para adormecer. Ainda assim, pode ajudar a treinar o corpo e a mente a se prepararem para dormir enquanto você se esforça para abrir mão dos soníferos.

Sono variável

Se você respondeu B à maioria das perguntas, tem o que chamo de sono variável. No ayurveda, é o chamado tipo *pitta*, relacionado ao fogo e à água. Se esse é seu estilo de dormir, você talvez também tenha uma natureza inflamável. Os outros podem dizer que você é intenso, mas, do seu ponto de vista, você só quer fazer as coisas direito. As pessoas com sono variável podem ter uma estrutura física forte ou musculosa e têm a temperatura do corpo naturalmente alta. Quando se concentra intensamente numa tarefa ou está em desacordo com alguém, seu corpo se aquece com suas emoções. É provável que você seja orientado por tarefas, alguém que redige e usa listas durante o dia para se assegurar de fazer tudo na hora porque, se não realizar o que quer, você se frustra e se irrita. Isso é verdade até nas férias, quando você compõe listas de tudo o que quer ver e vivenciar. Talvez você seja um líder ou orador natural. As pessoas ouvem você. Você pode ser inteligente, empreendedor e capaz de realizar quase qualquer coisa.

As pessoas com sono variável são motivadas, persuasivas e comprometidas com seus hábitos. Vivem com privação crônica de sono e não entendem por que seu corpo simplesmente não adormece quando elas ordenam. Com tanto a fazer e horas insuficientes no dia, ficam acordadas até tarde para realizar mais. Mesmo que adormeçam por pura exaustão, essas pessoas despertam nas primeiras horas da manhã. É quando o estresse ou a frustração as alcança.

Muitos pacientes meus que não conseguem dormir ficam assistindo à TV, na esperança de que isso os relaxe o suficiente para provocar sonolência, mas não é o que acontece. Essa dedicação ao "relaxamento" confunde o relógio interno, e os que têm sono variável geralmente não querem dormir antes da meia-noite. Também costumam comer tarde da noite, porque sempre precisam de comida. Quem trabalha tanto quanto eles queima muitas calorias e, quando tenta restringir a ingestão de alimentos por alguma razão, pode descobrir que está com uma fome terrível na hora de se deitar.

As pessoas com sono variável também têm dificuldade de dormir em um cômodo quente demais. São aquelas que precisam tirar o pé das cobertas ou se descobrem durante a noite porque estão com muito calor. O estresse e a preocupação aquecem o corpo, e essas pessoas têm dificuldade de dormir sem um ventilador ou uma janela aberta para manter estável a temperatura corporal.

Se você tem sono variável, talvez seja útil experimentar algumas destas estratégias ao montar sua rotina do sono:

DESLIGUE-SE DO TRABALHO ÀS 21H EM PONTO. As pessoas com sono variável não gostam que lhes digam para trabalhar menos, mas esse é o fator que pode transformar sua rotina de sono e sua vida. Ponha um alarme no celular caso precise de um lembrete para se desligar a tempo. Mesmo que não use essas horas tarde da noite para trabalhar, você provavelmente recorre à televisão para se forçar a desacelerar e acha que precisa disso porque passou 12 horas marchando por tarefas intermináveis. Você não consegue relaxar com a TV tarde da noite. Em vez disso, ela mantém sua adrenalina em alta e afasta o sono. É necessário se desligar de tudo e passar algum tempo com sua família ou consigo mesmo. Você trabalhou duro e realizou muitas coisas. Precisa de tempo todo dia para apreciá-las. Estabeleça uma rotina que envolva cuidar de tarefas simples da casa, ler textos leves, tomar um banho no início da noite, dedicar-se a um passatempo relaxante ou meditar. Escreva uma lista de coisas a fazer, se for preciso. Muitas pessoas com sono variável precisam de uma lista de tarefas. Não é fácil se afastar das metas e pressões do trabalho ou de programas de entretenimento vazios nesse período de 90 minutos antes de se deitar, mas isso é importantíssimo. Meus pacientes com sono variável brigam muito comigo por isso, mas depois que fazem a mudança não conseguem acreditar que já viveram de outra maneira. Após remover a privação de sono autoinduzida, você terá mais tempo para suas metas mais urgentes e será mais produtivo no trabalho.

EXERCITE-SE ANTES DO CAFÉ DA MANHÃ. Indivíduos intensos precisam de exercícios intensos. Se tem esse tipo de corpo, você adora suar e competir, e essas coisas fazem bem ao seu organismo. Falarei mais sobre isso no Capítulo 9. Infelizmente, muitos que têm sono variável se exercitam depois do trabalho, porque é o horário mais conveniente para eles. Se chegar em casa suado da academia às 21h, seu corpo passará algumas horas superaquecido, e isso o manterá acordado. Você não consegue dormir quando está quente demais. Seu organismo também fica inundado de hormônios do estresse, como cortisol, adrenalina e norepinefrina, que vão deixá-lo acordado. Quando se exercita antes do café da manhã, você dá a partida no corpo antes que o dia de trabalho comece e já pode chegar ao escritório a mil por hora. Também libera o calor acumulado no corpo, o que o deixará mais calmo durante o dia. Além disso, as pessoas com sono variável têm muito apetite, e esses exercícios intensos de manhã cedinho deixarão seu metabolismo acelerado para que você mantenha a forma.

FIQUE FRIO. As pessoas com sono variável odeiam sentir muito calor. Você é daqueles que precisam deixar os pés descobertos ao se deitar e que jogam as cobertas longe no meio da noite. Procure se refrescar antes de dormir. Isso pode ser feito banhando os pés em água fria, deixando um copo de água na mesa de cabeceira ou tomando uma rápida chuveirada fria antes de se deitar. Talvez você precise deixar a janela aberta ou o ventilador ligado quase toda noite.

EVITE AZIA. Quem tem sono variável também sofre de azia à noite. Essas pessoas precisam de uma alimentação que amenize esse problema, o que significa reduzir as gorduras saturadas e os doces no jantar e comer o mais cedo possível. Seu corpo precisará de várias horas para digerir o jantar, por isso sugiro uma refeição leve às 18h se você sofre de azia. Para quem tem sono variável e ingere muitas calorias por dia, no começo esse ajuste pode ser difícil. Digo a essas pessoas que elas podem comer meia banana ou uma fatia de outra fruta mais tarde à noite se as pontadas de fome ficarem intensas demais.

NÃO SE PREOCUPE EM ACORDAR CEDO. As pessoas com sono variável acordam cedo, principalmente quando estão sob pressão intensa. Você é o tipo que olha as mensagens do celular assim que acorda. Se sofre de insônia nas primeiras horas do dia, o melhor é mudar o horário de dormir para que esteja se preparando para relaxar e se deitar às 20h30, com a ideia de estar na cama no máximo às 22h. Então, se acordar às 4h30 na manhã seguinte, basta se levantar e começar o dia. Se resfriou as emoções e o corpo antes de se deitar e depois obteve seis boas horas de sono alinhadas com seu ritmo circadiano, você estará novo em folha.

Sono pesado

Se respondeu C à maioria das perguntas, você tem sono pesado. Em termos ayurvédicos, seria chamado de tipo *kapha*, relacionado à terra e à água. Como a água, você segue o fluxo. É tranquilo, metódico e relaxado. Por ter sono pesado, talvez enfrente alguma dificuldade para dar a partida pela manhã, mas, depois que começa, nada o atrapalha. Você tem uma resistência incrível e uma memória impecável. É firme, forte, leal e calmo. Talvez tenha uma tendência à timidez, mas é excelente ouvinte. As pessoas o procuram com seus problemas e pedem seus conselhos. Em qualquer situação delicada no trabalho, atua como pacificador. Em termos de estrutura física, provavelmente tem ossos largos, olhos grandes, pele lisa e cabelo denso. Pode engordar com mais facilidade do que os amigos, mas isso não é problema, porque um pouco mais de peso lhe cai bem.

As pessoas com sono pesado tendem a adormecer com relativa facilidade, mas são propensas a dormir até tarde. Precisam do despertador e da função soneca, e nos fins de semana dormem alegremente até o meio da manhã. Necessitam de ajuda para se levantar e pôr na vida movimento físico suficiente para afastar o sono. O interessante dos que têm sono pesado é que seu corpo armazena muita energia, então eles não sentem muito o efeito de uma noite de sono ruim. Poucas horas depois de se levantar, estão prontos para pensar e trabalhar como se tivessem dormido perfeitamente. As pessoas com sono pesado que passaram a noite em claro raramente ficam de mau humor ou têm a concentração prejudicada por não terem dormido.

É raro meus pacientes com sono pesado terem insônia. Quando isso acontece, em geral se deve a problemas físicos, como congestão, roncos e apneia do sono. Se não conseguem dormir bem, engordam. A ironia é que, quando engordam, eles têm ainda mais dificuldade para adormecer. Também não gostam de se levantar de manhã cedo, não importa quanto tenham dormido.

Se você tem sono pesado, eis o que precisa fazer para se preparar melhor para dormir e se levantar na hora certa:

Comece a se mexer pela manhã. As pessoas com sono pesado necessitam de atividade física para afastar a apatia matinal. Não precisa ser vigorosa; apenas 20 minutos de caminhada pela manhã vão prepará-lo para o dia e facilitar o sono à noite.

Evite a congestão. Digo a meus pacientes com sono pesado que devem evitar lanchinhos à tarde e à noite, porque laticínios e alimentos gordurosos aumentarão a tendência natural à congestão, e esse é seu principal problema ao dormir e roncar. Falarei mais sobre alimentação nos próximos capítulos, mas uma dieta que reduza gorduras saturadas e laticínios e priorize legumes, verduras, grãos e cereais fará maravilhas pelo organismo de quem tem sono pesado. Com a alimentação correta, você será capaz de controlar melhor o peso e evitar as doenças sazonais. Também dormirá muito melhor.

Livre-se do ronco. Talvez tenham lhe dito que o ronco é causado pela obstrução das vias aéreas, pelo alinhamento dos maxilares ou pela posição da língua ao dormir, mas, para a maioria dos que têm sono pesado, o ronco na verdade é causado pela congestão e pelos efeitos colaterais da azia. Se você fizer uma refeição leve às 18h e evitar comida depois, poderá perder alguns quilos e ver seu ronco sumir como num passe de mágica. Casais me procuram pedindo ajuda porque o ronco de um deles impede que durmam no mesmo quarto. O que eles não sabem é que o horário da refeição noturna tem muito a ver com o ronco. Se o jantar for mais leve e mais cedo, muita gente vai parar de roncar em poucas semanas, e os casais poderão voltar a dormir juntos. Além disso, dormirão melhor e se sentirão mais revigorados pela manhã.

Sustente o pescoço. Às vezes, quem tem sono pesado se esforça para achar uma posição confortável para dormir e se sente melhor com um travesseiro que apoie o pescoço. Elevar um pouco a cabeça deixará as vias aéreas livres para que você respire profundamente enquanto dorme.

Uma observação sobre o jet lag

A maioria das pessoas precisa lidar com o jet lag apenas algumas vezes por ano. Algumas, porém, têm esquemas de trabalho que as obrigam a viajar muito e conhecem muito bem o preço alto que o jet lag cobra do corpo. As viagens constantes causam ganho de peso e insônia e criam um verdadeiro caos no estado de espírito.

Alguns meses atrás, uma paciente me pediu ajuda para regular seu cronograma de viagens. Leanne mora na Austrália com dois filhos pequenos, mas faz voos longos quase todo mês. O marido foi recentemente transferido para um banco nos Estados Unidos, e Leanne acha que precisa levar as crianças para que o marido possa ficar algum tempo com elas. Ao mesmo tempo, tem pais idosos na Inglaterra que insistem em que ela os visite e leve as crianças.

Em consequência de todas essas viagens, Leanne engordou uns 35 quilos nos últimos dois anos e se sente péssima. Tentou fazer dieta, mas seus horários e países mudam com tanta frequência que ela não consegue seguir nenhum regime. Tem 47 anos e não quer que esse ganho de peso se torne permanente.

Como muitos viajantes frequentes, ela precisa lidar com climas diversos. Na Austrália, os meses de inverno são quentes; quando vai à Inglaterra, o clima é frio e chuvoso; quando vai aos Estados Unidos, os meses de inverno são frios e secos. Seu corpo não experimenta mais as mudanças naturais das estações e da luz.

Além de engordar, ela começara a roncar e ter apneia do sono, o que não é raro em quem tem ganho de peso repentino. Ela diz que se sente inchada pela manhã. A maioria perde cerca de meio quilo enquanto dorme, mas a experiência dela é o contrário. Isso é sinal de inflamação no corpo e pode acarretar problemas de saúde mais graves. Sentir-se inchado pela manhã é sintoma de inflamação, porque o corpo retém a água que há no organismo como um modo de resfriar essa inflamação. Você pode testar isso em casa. Se o seu peso for maior pela manhã do que na noite anterior, talvez esteja sofrendo de inflamação sistêmica. A falta de sono causada pelo jet lag só exacerba a inflamação do corpo. É preciso dar um jeito de reverter essa tendência.

Se o jet lag e as viagens constantes são um problema para seu corpo, o primeiro passo é reduzir as viagens ou, pelo menos, aumentar o intervalo entre elas. Leanne teve que fazer o marido visitá-la algumas vezes e diminuir as viagens à Inglaterra. No ayurveda, buscamos o equilíbrio, e quando o corpo lhe mostra que está desequilibrado você deve realizar mudanças.

Leanne tem sono forte e precisava de uma rotina de exercícios pela manhã para aliviar a congestão e o inchaço e de uma refeição noturna leve para reduzir a azia. Uma dose noturna de melatonina também lhe permitiu reduzir a inflamação, pois esse é um dos benefícios pouco conhecidos desse suplemento. Assim que sua rotina foi reorganizada, ela começou a emagrecer e a dormir mais profundamente.

Depois de fazer o possível para alterar o esquema de viagens, o passo seguinte é diminuir o efeito do jet lag sobre o corpo quando você viaja. Eu me identifico pessoalmente com as dificuldades de Leanne. Como tenho família na Índia e moro na Califórnia, também viajo muito. Frequento conferências no mundo inteiro e entendo que viajar é uma parte importante da vida de muita gente. Antigamente, as pessoas viajavam de navio entre os continentes e tinham semanas para se ajustar às mudanças da luz e aos novos horários de comer e dormir. Mas agora podemos embarcar num avião e estar em outra parte do planeta em 12 horas. Para o corpo, o choque resultante disso é súbito e muito real. A boa notícia é que há algumas coisas que podemos fazer para minimizar o jet lag depois de voos longos.

LUBRIFIQUE-SE. O corpo precisa de muita ajuda, em primeiro lugar, para se ajustar ao ar seco e recirculado do avião. Levo comigo na bolsa de mão um vidrinho de azeite ou óleo de gergelim. Ponha algumas gotas em cada narina perto do início do voo e depois de algumas horas voando. Manter as cavidades nasais umedecidas vai protegê-las do ar seco e do acúmulo de muco. Também ponho um pouco de óleo em cada canal auditivo. Isso é importantíssimo em voos longos, nos quais o ar continua a ressecar o corpo.

EVITE O EXCESSO DE ESTÍMULOS. Às vezes esses voos podem estar lotados e ser barulhentos. As pessoas se perguntam por que os bebês choram em voos longos. A resposta é porque o nível de ruído é alto demais para que façam qualquer outra coisa. Há o zumbido constante dos motores e o ruído branco da pressurização. Há pessoas dando instruções num sistema de alto-falantes e, hoje em dia, geralmente há uma televisão em cada poltrona, com uma transmissão constante de imagens em vídeo. De tantas em tantas horas, passa um carrinho distribuindo comida ou bebida. Como dormir nesse cenário? Mas você precisa tentar fazer isso. Leve máscara para os olhos e fones de ouvido para minimizar o barulho. Em voos longos, o ideal é ter cinco ou seis horas de sono de qualidade antes de pousar, para minimizar o jet lag. Digo a quem tem sono leve que não vá a lugar nenhum sem máscara para os olhos e fones de ouvido com cancelamento de ruídos. Sem eles, ao pousar você estará esgotado demais para se reorientar. Mesmo que não durma, o ato de minimizar os estímulos relaxa o corpo e ajuda a lidar com quaisquer estressores da viagem.

TOME MELATONINA. Voar de oeste para leste é mais difícil porque você está fazendo seu corpo se adiantar no tempo. A manhã vem mais cedo e a noite cai antes que você esteja pronto para dormir. Por exemplo, se voar de Nova York a Paris, você estará tentando adormecer às 22h, mas seu corpo acha que ainda são 16h. É bom tomar melatonina às 16h alguns dias antes do voo. Não vai lhe dar sono, mas disponibilizará alguma melatonina no organismo na hora local correta de modo que, ao pousar, seu corpo esteja preparado para tentar dormir naquele horário.

NÃO COMA DURANTE O VOO. Se possível, reduza ou elimine a alimentação no avião, principalmente quando voar para leste. A comida é um fator importante que ajuda o corpo a se ajustar ao novo ambiente e talvez seja a ferramenta mais poderosa para evitar o jet lag. Quando jejua, seu metabolismo desacelera como se estivesse no meio da noite. Isso o ajuda a relaxar e dormir e a avançar o ritmo circadiano para o novo horário. Quando sair do avião e comer de novo à luz do dia, seu corpo saberá que um novo dia começou e terá dado os primeiros passos para se ajustar ao horário local.

EXPERIMENTE *TRIPHALA*. Esta é uma erva ayurvédica que ajuda a regular o intestino. Muitos pacientes meus tomam um comprimido de 1.000 mg à noite, por ser um grande auxílio digestivo. Também ajuda a lubrificar o intestino. Não é laxante, mas frequentemente amolece as fezes e faz as coisas funcionarem. Se você sofre de prisão de ventre depois de voos longos, esse suplemento é fundamental. Tome quando o avião pousar ou logo depois para evitar indigestão e prisão de ventre enquanto seu organismo se adapta ao novo fuso horário.

ACOMODE-SE AO HORÁRIO LOCAL. Faça isso assim que pousar. Se voar para leste, talvez pouse nas primeiras horas da manhã no horário local, depois de dormir pouco no voo. É importante evitar cochilos querendo compensar a privação de sono no avião. Fique acordado até que chegue a hora de dormir no horário local. Também é importante comer de acordo com esse horário. Se for hora do almoço onde estiver pousando, almoce. Isso ajuda o corpo e o hipotálamo a acertarem o relógio biológico para um novo esquema de 24 horas.

EXPONHA-SE À LUZ. No novo fuso horário, procure ficar o máximo possível ao ar livre durante o dia para se expor à luz natural do sol. Isso, mais do que tudo, ajudará seu corpo a reajustar o ritmo, não só do horário de dormir mas também do horário digestivo. Não receber luz natural suficiente é o maior indicador de que você vai sofrer com o jet lag.

PREPARE-SE PARA DORMIR. Nessas primeiras noites no novo local, é bom dar muita atenção à rotina noturna. Minimize os e-mails e os estímulos eletrônicos. Faça em si mesmo uma massagem com óleo e tome um banho calmante antes de se deitar. Com isso, você ensina ao corpo a nova hora de dormir.

Depois de assumir o compromisso de ter uma noite de sono melhor, você notará mudanças em todos os setores da vida. De certo modo, estará eliminando o jet lag natural que impôs à sua programação diária. Como consequência, notará mudanças na digestão e no nível de concentração durante o dia – e até sua pele vai brilhar depois de algumas noites dormindo bem. Muitos pacientes meus emagrecem quando têm o repouso adequado, e talvez isso também aconteça com você. No próximo capítulo, vou ajudá-lo a manter esse brilho saudável com uma nova maneira de se alimentar. Quando passar a comer melhor, você emagrecerá ainda mais. E dormirá melhor também.

6

VOCÊ É QUANDO VOCÊ COME

● ○ ◐ ●

Veja se isto lhe soa familiar.

Você acorda pela manhã achando que hoje é o dia em que vai comer menos e começar a emagrecer. Não sente fome de manhã e pula o café. (A maioria das pessoas que precisam perder mais de 10 quilos não sente fome nas três primeiras horas depois de acordar. Geralmente, é porque comeram demais na noite anterior.) Você vai trabalhar e, na hora do almoço, está com fome, mas come uma saladinha ou um sanduíche na mesa de trabalho e se dá os parabéns pela força de vontade.

Às 15h ou 16h, essa força de vontade sumiu. Você está faminto, irritado e cansado, e agora anseia por algo que lhe tire a irritação. Talvez compre biscoitos ou salgadinhos. Talvez tome uma gigantesca xícara de café adoçado. Você sabe que nenhuma dessas é uma opção saudável, mas, pelo menos, lhe dará forças para aguentar o resto do dia.

Depois do trabalho, você está esfomeado e exausto. É aí que começa o verdadeiro problema. Você toma uma taça de vinho enquanto prepara o jantar ou belisca alguma bobagem enquanto aguarda a comida chegar. Se vai a um restaurante, come todo o pão antes mesmo que a refeição seja servida. Depois do jantar, você não consegue parar de comer, embora se sinta cheio. Seus níveis de glicose e insulina no sangue estão no máximo, mas você anseia por algo doce. Come a sobremesa ou continua a beliscar até a hora de dormir.

Infelizmente, a comida consumida no fim do dia, quando seu sistema digestivo se prepara para o ciclo de repouso, não será digerida. Você pode ter refluxo ácido, congestão ou cólicas intestinais. Assim, seu sono é menos repousante e você acorda se sentindo cheio depois da noite anterior. Passar fome na primeira metade do dia e comer demais na segunda sabotará sua tentativa de emagrecer.

Se você caiu nesse padrão, saiba que não é o único. Quase todos os meus pacientes acima do peso contam a mesma história. Na verdade, quase todo mundo que segue esse padrão alimentar consome cerca de metade das calorias diárias depois das 16h. Num estudo de observação, os pesquisadores pediram a 156 participantes que, durante três semanas, fotografassem tudo que comessem ou bebessem antes de consumir. (Na verdade, é uma grande ideia para registrar seu consumo alimentar.) O que descobriram foi que cerca de metade dos participantes ingeria 75% das calorias diárias à tarde e à noite.[1] Também constataram que as pessoas atrasam ainda mais as refeições nos fins de semana, piorando o efeito de jet lag no organismo.

No fim da tarde e à noite, o corpo está bem menos apto a metabolizar calorias, açúcar e gordura. As pessoas acham que, ao pular o café da manhã ou o almoço, poupam calorias para mais tarde, mas isso não é verdade. Seu corpo não é uma máquina simples que consome um número específico de calorias a cada 24 horas. Seu sistema digestivo tem um ritmo circadiano próprio. Está pronto para começar pela manhã e queima com mais eficiência ao meio-dia. Depois das 14h, fica cada vez mais lento. As pessoas com metabolismo lento e dificuldade para emagrecer quase não têm capacidade de digerir comida depois das 19h. E fazer a maior refeição nesse horário provoca uma série de mudanças metabólicas que tornam a perda de peso impossível.

O horário das refeições é importante

Pouquíssimas orientações nutricionais falam do horário das refeições, mas os pesquisadores da obesidade estão começando a dizer que este é o elo perdido do controle do peso. A capacidade que o organismo tem de processar uma grande ingestão de calorias – sua tolerância à glicose – é mais alta de manhã do que no restante do dia. E a sensibilidade à insulina também é cíclica: mais alta pela manhã e mais baixa à noite.² Portanto, se comer carboidratos pela manhã – digamos, um pouco de mingau de aveia ou uma torrada integral –, sua glicemia não terá um pico tão grande quanto teria se você comesse essas mesmas coisas à noite. É claro que, se passou fome o dia todo, provavelmente você vai querer açúcares simples e muita gordura, como bolos, salgados, pão com manteiga e sobremesas cheias de cremes e caldas. Com esse combustível, sua glicemia vai subir rapidamente e se manter alta durante várias horas, só porque você está comendo essas coisas depois de escurecer. Pior ainda, o corpo também se prepara para a lipogênese, ou armazenamento de gordura, no fim do dia. Consumir a maior parte de suas calorias à noite faz essa refeição gigantesca ser armazenada como gordura.

Se acha que estou descrevendo a alimentação americana típica como um desastre em câmera lenta para seu metabolismo, você está certo. Em 2014, pesquisadores publicaram um estudo sobre o efeito a longo prazo de fazer uma refeição farta no jantar. Eles pediram a 1.245 pessoas de peso normal, sem problemas metabólicos, que preenchessem um diário alimentar de três dias e fizessem alguns exames de sangue. Seis anos depois, essas mesmas pessoas fizeram novos exames. As que tinham relatado nos diários que comiam mais da metade das calorias diárias na refeição noturna mostraram o dobro de probabilidade de desenvolver obesidade ou algum outro problema metabólico nesses seis anos.³ Passar a maior refeição para o meio do dia, mesmo que você não altere nenhum outro hábito alimentar, pode mudar sua saúde pelos próximos anos.

● ○ ◐ ●

É possível emagrecer simplesmente fazendo a maior refeição do dia mais cedo? Sim. Pesquisadores pediram a mulheres com sobrepeso e obesas com síndrome metabólica que seguissem dietas com redução de calorias. Um grupo fez a maior refeição pela manhã, uma menor no almoço e uma pequeníssima no jantar. O outro grupo inverteu a ordem, com apenas 200 calorias no café da manhã, 500 no almoço e 700 no jantar. Em 12 semanas, as que fizeram a maior refeição pela manhã emagreceram mais e apresentaram as medidas de cintura menores. Também mostraram melhora da sensibilidade à insulina, da glicose em jejum e do nível de triglicerídeos. O mais importante foi que disseram sentir menos fome do que as que fizeram a maior refeição no jantar.[4]

Eu jamais poderia sugerir que o café da manhã fosse a maior refeição – você verá por que num minuto –, mas quero que desista completamente da ideia de pulá-lo. Algumas pesquisas indicam que quem faz dieta consegue manter o emagrecimento durante pelo menos sete meses se tomar o café da manhã, isso porque ele baixa a fome e os desejos intensos por determinados alimentos.[5] Se você não sente muita fome de manhã, pense nisso como um lanchinho ou um aperitivo. Apenas uma coisinha para despertar seu metabolismo logo cedo.

Quando conseguir reduzir a refeição noturna, você verá que vai acordar com mais fome pela manhã – um sinal importante de que seu metabolismo está se normalizando. Muita gente diz a si mesma que deveria comer quando sente fome, mas se esquece de que educou o corpo para ter fome na hora errada do dia. É preciso alterar isso. Ao comer de manhã, você treina seu corpo para sentir um pouquinho de fome nesse horário e para interromper o jejum natural quando essas calorias farão a seu corpo mais bem e menos mal. Mudar o horário das refeições, com um pequeno café da manhã e um almoço substancial, elimina aquela sensação incômoda de fome mais tarde, porque ensina seus hormônios da fome a fazer o que a natureza pretendia.

Os hormônios da fome

Seus hábitos alimentares preparam o organismo para produzir determinados hormônios associados ao ato de comer, como grelina e leptina. A grelina é produzida no estômago e é o único hormônio que o corpo gera para estimular o apetite. Sempre que come, você treina seu corpo para esperar comida naquele horário e para deixá-lo com muita fome nesse momento. Talvez você perceba esse fenômeno no horário de verão, quando o relógio muda, mas sua barriga não. É a produção de grelina atuando no corpo. Ela não sabe que o horário mudou, e o organismo pode levar dias ou semanas para se ajustar completamente. A grelina sobe depressa antes de você comer e se reduz durante várias horas depois que você come. Também aumenta com rapidez pouco antes do anoitecer e então se reduz com a mesma velocidade depois que escurece e permanece baixa até a manhã. Embora seu estômago esteja (ou devesse estar) vazio à noite, você não sente fome nem ansiedade para obter comida. Essa é a maneira natural do corpo de regular a ingestão de alimentos.

A grelina também instrui o organismo a se preparar para armazenar gordura. O que isso tem a ver com a hora em que você come? Ora, se você costuma fazer a maior refeição depois que escurece, treina seu corpo para produzir grelina quando ela normalmente seria suprimida. Também diz ao corpo que se prepare para armazenar gordura abdominal, e faz isso pouco antes de se deitar por oito horas e pôr o cérebro e os órgãos no modo do sono.

A leptina funciona ao contrário. Ela é liberada pelas células adiposas para dizer ao corpo que você já comeu o suficiente. O nível de leptina será baixo antes de comer e alto depois. Se tiver gordura armazenada suficiente, essas células liberarão leptina na corrente sanguínea como um inibidor natural de apetite.

A princípio, a descoberta da leptina pareceu um avanço no estudo da obesidade. Talvez as pessoas que engordam não produzam leptina suficiente ou possam tomar um suplemento de leptina. Mas não é assim que funciona. As pessoas com armazenamento adequado de gordura produzem mesmo muita leptina, mas, por alguma razão, seu apetite não reage ao nível elevado de leptina no sangue. O organismo pode desenvolver resistência a leptina, de modo semelhante à resistência à insulina. O cérebro deixa de receber os sinais da leptina se você não dormir o suficiente ou se comer na hora em que seu corpo deveria estar dormindo.

Como a grelina, a leptina segue um ritmo circadiano. Mais baixa nas horas diurnas, ela aumenta naturalmente à noite para dizer ao cérebro que você não precisa comer. Na verdade, à noite as pessoas obesas podem produzir mais que o dobro de leptina que as pessoas de peso normal produzem, e esse nível elevado de leptina em circulação contribui para a resistência à substância. Fazer uma grande refeição à noite também aumenta o nível de leptina em circulação numa hora em que, normalmente, ele já subiria.

Era o que acontecia com Ron, de 31 anos, assessor de uma empresa de gestão de patrimônio. Sua nutricionista lhe orientou a não pular o café da manhã, mas ele se sentia mal com essa grande refeição matutina. Estava se obrigando a comer muito de manhã, embora não sentisse fome naquela hora. O que ele não disse à nutricionista é que geralmente pulava o almoço. Então ficava morto de fome na hora do jantar e comia demais, o que contribuía para sua insônia.

Um grande café da manhã não adianta nada se você vai jejuar nas 12 horas seguintes. O corpo precisa de combustível nas horas diurnas. Deve jejuar só depois que escurece. Ron achava que essa fome dolorosa era um sinal do corpo de que podia comer e beber o que quisesse – refrigerante, pão, carne, doces. Quando você está com muita fome, tudo parece gostoso e você se permite exagerar. Os anseios alimentares são satisfeitos, mas há um desastre metabólico.

À noite, o estômago se esvazia em metade da velocidade diurna. O alimento consumido à noite não será facilmente digerido. Pela manhã, você ainda estará enjoado do grande jantar, e seu nível de leptina ainda estará alto demais. Na verdade, jejuar durante parte do dia contribui para a resistência à leptina. Por outro lado, o nível de grelina estará baixo demais para você sentir fome. O padrão que criou para o seu corpo vai completamente contra o ritmo natural: estimula o armazenamento de gordura mas deixa o corpo sem nutrientes essenciais na primeira metade do dia, quando eles são mais necessários.

Como romper esse ciclo? Comece restringindo as calorias à noite. Você pode consumir um café da manhã modesto, como um copo pequeno de vitamina, um shake de proteína, grãos e cereais integrais ou mesmo ovos com legumes. A meta é empurrar a janela natural da fome para o meio-dia, quando você pode comer sem problemas alimentos mais substanciais. Milhares de pacientes meus usaram esse novo padrão alimentar para normalizar seu equilíbrio hormonal e melhorar suas taxas sanguíneas, além de promover a força de vontade, já que param de sentir aquela fome desesperadora.

Talvez você precise fazer algumas experiências até se acostumar a comer menos à noite. Ron acabou aprendendo a consumir um jantar leve às 18h, mas, nas primeiras semanas, também comia uma fruta ou tomava uma xícara de leite de amêndoas às 20h para combater a fome habitual. Lembre-se de que você deve treinar seu cérebro a sinalizar a fome na hora certa, e métodos comprovados de reduzir o apetite, como tomar água morna com limão, ajudam a controlar os sinais de fome que surgem na hora errada.

O relógio do intestino

O principal relógio circadiano se localiza no cérebro, mas muitos órgãos e tecidos (como o tecido adiposo) têm um ritmo circadiano próprio. Comer é um meio primário de os relógios periféricos do intestino e do fígado entenderem que horas são. Eles precisam se ajustar pela hora em que você come para decidir quando liberar enzimas digestivas, dividir e reparar células, absorver nutrientes e remover resíduos. Isso acontece em nível celular e usa aqueles relógios moleculares, ou genes do relógio, dentro das células. Mas esses relógios periféricos também falam constantemente com o relógio principal do cérebro, o NSQ, para lhe dar informações sobre a atividade do corpo.

Enquanto o cérebro usa o ciclo claridade/escuridão e seu padrão de sono para ajustar algumas funções, o intestino usa a hora de comer para estabelecer o próprio ciclo de 24 horas. Quando os dois ficam desalinhados, surgem os sintomas clássicos do jet lag, mesmo que você nunca tenha entrado num avião. Além de irritação e inflamação no intestino, você sente fadiga persistente e confusão mental. Também pode sofrer transtornos do humor e dificuldade de concentração ou de lidar com o estresse, porque o intestino é o motor primário da produção de serotonina. É o que as pessoas querem dizer quando falam do eixo cérebro-intestino. Hoje sabemos que grande parte desse eixo tem relação com os relógios circadianos do corpo inteiro.

Além disso, o microbioma do intestino tem seu ritmo circadiano próprio, com algumas bactérias mais prevalentes nas horas diurnas, outras nas noturnas. Quando seu padrão alimentar conflita com o relógio principal, todo o equilíbrio dos micróbios intestinais é perturbado. Você pode prejudicar o microbioma com uma alimentação rica em gordura, comendo tarde da noite ou comendo muitas vezes durante o dia. Essa população de micróbios pode ficar tão alterada pelas horas esquisitas de se alimentar que perde a noção das coisas e deixa de funcionar segundo o ritmo diurno, causando sintomas como inchaço e inflamação, e também intolerância à glicose e obesidade.[6]

Assim, sua alimentação improvisada, essa que faz você jejuar ou comer pouco na primeira parte do dia e exagerar na comida depois do pôr do sol, pode provocar muita perturbação no organismo, como refluxo ácido, úlceras, síndrome do intestino irritável, resistência à insulina e ganho de peso. Mas não se desespere, porque uma substância que o corpo produz sincroniza todos esses relógios e melhora a digestão: a melatonina.

Adormecer na hora certa faz a melatonina fluir do cérebro antes da meia-noite. Falei disso no Capítulo 4, mas eis o porquê: deitar-se toda noite na hora certa ensina o corpo a liberar no organismo uma onda de melatonina que coordenará o relógio do intestino com o relógio do cérebro. E acontece que qualquer melatonina serve. Portanto, se estiver tomando suplementos de melatonina para regular o sono, eles também terão efeito protetor sobre a digestão. Vão ajudar a acalmar o sistema digestivo e a regular os movimentos intestinais.

Num estudo, mulheres com síndrome do intestino irritável tomaram melatonina durante oito semanas (3 mg por noite) e tiveram uma melhora acentuada dos sintomas.[7] A melatonina também é um poderoso antioxidante por si só e pode ter efeito protetor sobre o fígado. Aumentar a produção noturna de melatonina pelo corpo fará mais por você do que qualquer regime comum de emagrecimento.

Comer na hora certa

Mudar a alimentação significa mudar o padrão de refeições para pôr o corpo em sincronia com o ritmo circadiano. Chegaremos à alimentação limpa e a escolhas alimentares específicas para seu tipo de corpo no próximo capítulo, mas antes você tem que fazer suas refeições na hora certa.

TOME NOTA DO QUE VOCÊ COME

Para mudar os horários das suas refeições é preciso saber quais são eles. Nos próximos dias, mantenha um caderno à mão para anotar tudo o que come e, especificamente, a que horas come. Você pode usar o celular para tirar uma foto da comida, inclusive todas as bebidas e lanchinhos. Não estou interessado no número específico de calorias que você acha que consumiu. Estou mais interessado na relação entre uma refeição e a seguinte. Ao acompanhar seu padrão alimentar em vez das calorias, você terá uma ideia de quando seu organismo espera alimento dia após dia.

Prepare-se para responder a estas perguntas ao analisar seu diário da comida:

- **A que horas faz cada refeição?** Você come à mesma hora todo dia?
- **Qual é o tamanho de cada refeição?** Você pode estimar as calorias, se quiser, mas o importante é saber qual é a maior refeição e a que horas você a ingere.
- **Quantas vezes por dia você belisca?** Acompanhe tudo o que come entre as refeições. Isso inclui todos os cafés adoçados, todos os pacotes de salgadinhos e todos os doces. Você está procurando um padrão nesses lanchinhos.
- **Quantas horas por dia você fica sem comer?** Qual é a duração do jejum entre as refeições e entre o jantar e o café da manhã? Isso lhe revela quanto descanso está dando ao sistema digestivo todo dia.
- **Suas refeições são coloridas?** Quantos legumes, verduras, sementes, nozes, cereais e outros alimentos naturais diferentes você consome em cada refeição? A meta é comer o máximo possível de alimentos naturais. (Veremos mais sobre isso no próximo capítulo.)
- **Quantos sabores complexos você aprecia em cada refeição?** Há seis sabores dominantes: doce, azedo, salgado, amargo, picante e adstringente. Mas a alimentação moderna se concentra principalmente nos sabores doce e salgado, e é por eles que você anseia. É preciso expandir o paladar de modo a incluir outros sabores e reeducar as papilas gustativas que pedem comida calórica e pouco nutritiva. Precisamos de ali-

mentos picantes, como os temperos. Precisamos de alimentos adstringentes, como frutas cítricas, vinagre e aipo. Precisamos de alimentos amargos, como verduras, brotos e melões. Eles não só são ricos em fibras como também limpam o paladar e nos ajudam a fazer escolhas alimentares mais saudáveis. A bebida de gengibre da página 115 contém todos esses sabores, e por isso é um modo simples de eliminar os anseios alimentares.

Ao monitorar sua ingestão de alimentos, você levará a atenção plena à alimentação. Não é possível mudar o que come se você não sabe o que come – e quando come. Falamos que a meditação une o coração e a mente. O diário da comida une a barriga e a mente. É o primeiro passo para saber que comida não é só o que provoca uma sensação boa no momento; é o que provoca uma sensação boa horas depois que você comeu.

COMA À MESMA HORA TODO DIA. Muita gente com rotinas corridas não faz ideia do horário em que vai comer a cada dia. Trabalhei com uma vendedora que dizia que tinha que se reunir com clientes em vários dias na semana e, geralmente, os levava para almoçar. Um dia comia pratos apimentados e, no dia seguinte, massas pesadas; além disso, as reuniões eram às 11h30 num dia e às 14h no dia seguinte. Essa inconstância é um desastre para o sistema digestivo. Ela precisava de um horário fixo.

O corpo libera hormônios e enzimas digestivas prevendo o horário das refeições e precisa ser capaz de saber quando fazer isso. Cabe a você treinar seu corpo para ter fome na hora certa. Se for preciso, ponha para tocar um alarme para comer à mesma hora todo dia durante uma semana, pelo menos, principalmente nos fins de semana, quando as pessoas tendem a comer mais tarde. Procure evitar esse efeito do jet lag social sobre o horário das refeições. É assim que você acostuma o corpo a esperar o alimento na hora certa.

Se aceitar o desafio de organizar seu horário de trabalho em torno do horário de comer, seu corpo lhe agradecerá. Minha paciente fez isso e, ao fim da primeira semana, não conseguia acreditar em como se sentia muito melhor. Ela começou a incentivar os clientes a comerem em restaurantes onde ela pudesse obter mais legumes, verduras e pratos mais leves, e eles adoraram. Nos outros dias, ela almoçava sopa e salada e se sentia fantástica.

Faça sua maior refeição no meio do dia. Isso ajuda a reajustar o ritmo circadiano e a digestão. É bom ingerir a maior parte de suas calorias no meio do dia, quando a digestão está a pleno vapor. Mas não é preciso ser exatamente ao meio-dia. De acordo com o dia ayurvédico, esse período *pitta* de pico digestivo vai das 10h às 14h. Ainda assim, recomendo marcar uma hora de almoço que fique o mais perto possível do meio-dia e segui-la todo dia. A refeição da noite deve ser mais um lanche, algo que amenize a fome antes do anoitecer. Digo às pessoas que façam isso antes de revitalizar o café da manhã, porque a maioria não tem fome de manhã até remover a grande refeição noturna.

Prepare um café da manhã rico em nutrientes. Muitos acham que o café da manhã pode ser bem farto, enquanto outros simplesmente o dispensam. Ambos estão enganados. Em termos ayurvédicos, a primeira parte do dia, das 6h às 10h, é considerada um período em que o sistema nervoso e a digestão ainda estão se aquecendo. É a hora dos primeiros movimentos intestinais, à medida que o sistema digestivo elimina os resíduos da véspera. E não é o momento de encher a barriga de farinha, açúcar e gordura animal. Uma vitamina com frutas e verduras ou um pouco de mingau de aveia geralmente é o suficiente. No entanto, se precisar de mais "sustância", você pode comer ovos com legumes ou batatas. A energia desses alimentos só precisa abastecê-lo até o almoço. Se não tiver muito apetite pela manhã, não há necessidade de se entupir de comida.

Evite os lanchinhos. Depois de cada refeição, comprometa-se a não comer nada até a refeição seguinte. Fazer um suave jejum dessa maneira faz bem para você e para seu corpo, permitindo que ele descanse, otimize a flora intestinal e estabilize os níveis de leptina e grelina. Beba água ou mesmo água morna com limão ou chá de ervas para afastar a fome enquanto educa seu corpo a esperar a comida na hora certa. Isso é ainda mais útil depois do jantar. Você sabe que seu corpo está trabalhando para suprir a fome até de manhã. Deixe-o fazer seu trabalho. Você não precisa comer à noite. Lembre-se: você está treinando seu corpo e, com o tempo, isso se tornará natural.

Faça menos refeições

Uma das coisas que peço às pessoas que prestem atenção no diário da comida é quantas horas por dia passam comendo e jejuando. Quando você consome algumas calorias de manhã cedo (mesmo que seja apenas café com leite e uma torrada), dispara a digestão nesse horário. Depois, se belisca o dia todo e termina o jantar às 21h, serão 15 horas do dia que você passou dando trabalho ao sistema digestivo. Se segue beliscando até a hora de se deitar, seu corpo não terá muito descanso.

Digo às pessoas que elas precisam de 10 a 12 horas de jejum à noite e que é bom ter pelo menos três horas sem comida nenhuma entre as refeições. Esse tipo de jejum suave é bom para o organismo. Não é necessariamente comer menos – é comer com menos frequência.

Muita gente que recebo em meu consultório simplesmente come demasiadas vezes por dia. Tomam um café adoçado assim que acordam e vários outros até o meio-dia. Vão beliscando a tarde toda, fazem uma grande refeição à noite e continuam a beliscar até a hora de dormir. É claro que acham que estão ingerindo calorias em excesso, e pode até ser verdade, porém, mais importante do que a ingestão de calorias ou gordura é o fato de estarem comendo com uma frequência exagerada.

Ter horas certas para as refeições é um modo fácil de combater a tendência a beliscar e a comer sem prestar atenção. Se obedecer a um horário e souber quando vai comer e quando não vai, com o tempo seu corpo também saberá.

Anteriormente, mencionei um estudo em que os pesquisadores pediram aos participantes que fotografassem o que comiam durante três semanas. Um dos achados foi que, para a maioria das pessoas, não existe isso de três refeições substanciais por dia. Na verdade, as pessoas comem e bebem de 4 a 15 vezes por dia. Embora houvesse um intervalo médio de três horas entre os episódios de alimentação, cerca de metade dos entrevistados comia de maneira inconstante durante umas 15 horas. Os pesquisadores recrutaram oito participantes para uma experiência, em que deveriam restringir a janela diária de ingestão de alimentos para 10 a 11 horas. Nenhuma outra mudança alimentar foi solicitada. Os que restringiram o número de horas em que comiam perderam em média 3 quilos em 16 semanas e conseguiram manter o peso durante um ano.[8]

À noite, o corpo deve se preparar para uma fase de jejum natural, em que as células que revestem o esôfago, o estômago e o intestino podem realizar reparos gerais. As células eliminam resíduos e se duplicam se for preciso. Nesse período, sua digestão desacelera e os movimentos intestinais são suprimidos. De acordo com a sabedoria ayurvédica, nosso corpo precisa de pelo menos 10 horas de jejum à noite para realizar esses reparos. Também necessita de tempo entre as refeições para descansar e provocar a sensação de fome. O sentimento agradável de fome na expectativa de uma refeição é algo cada vez mais raro de ser apreciado.

Deixar de jantar tarde e de comer qualquer coisa depois do jantar e entre as refeições é muito mais importante do que seguir uma dieta com refeições pobres em gordura ou evitar certas categorias de alimento.

POR QUE AS DIETAS FRACASSAM

Talvez você espere que eu diga que fazer dieta não funciona. Mas vou lhe dizer o contrário. O problema da maioria dos regimes de emagrecimento é que funcionam, pelo menos temporariamente. Esse é seu poder sedutor. Se restringir calorias, reforçar as proteínas enquanto evita carboidratos, fizer refeições menores ou evitar por completo determinados alimentos, é provável que você perca alguns quilos.

Mas a maioria das dietas não leva em conta o horário das refeições. Algumas incentivam a fazer a maior refeição à noite, e isso acabará fazendo seu emagrecimento se estabilizar. Pior ainda: as dietas supõem que seu maior problema é o ganho de peso. O problema que você precisa resolver primeiro é o ritmo circadiano confuso que provoca o caos na flora intestinal, nos hormônios e no sono. Engordar é apenas o resultado dessas perturbações.

Além disso, nem toda dieta vai dar certo em todos os tipos de corpo. As pessoas com metabolismo naturalmente mais lento se sentirão bem com uma alimentação que restrinja bastante as calorias. Aceitarão uma alimentação vegetariana ou até vegana. Quem tiver metabolismo acelerado vai enlouquecer com uma dieta de poucas calorias e sentirá tanta fome que não conseguirá se concentrar. Falarei dos diversos tipos de corpo e da melhor alimentação para cada um no próximo capítulo.

Como contornar o horário de trabalho

Se você for como a maioria, seu horário de trabalho controla tudo: da hora em que se levanta pela manhã ao horário das refeições e dos exercícios. Talvez neste momento você ache que não pode aplicar todos esses bons conselhos justamente por causa disso.

Muita gente não percebe que o horário de trabalho é o principal culpado dos problemas digestivos. Foi o caso de Wendy, que me procurou com dificuldades gastrointestinais e ganho de peso. Ela trabalhava no turno da noite, num restaurante italiano, e só jantava quando o expediente terminava, às 22h. Nesse momento, toda a equipe se sentava para comer massa e tomar vinho. Era um modo de aliviar o estresse depois de um dia tenso e movimentado. Como resultado, ela passava a noite toda se virando de um lado para outro na cama, com dor de barriga. Acordava tarde com o estômago embrulhado e jejuava quase o dia inteiro para poupar calorias para o fim da noite.

Os colegas de trabalho de Wendy tinham 20 e poucos anos, idade em que o ritmo circadiano é forte e sentimos comparativamente menos efeitos com uma rotina desregrada. Mas Wendy tinha quase 50 anos e engordara 10 quilos no ano anterior. Precisava dar um jeito de comer bem, apesar do horário exigente.

Muita gente precisa trabalhar até tarde, mas adiar aquela última refeição até chegar em casa não é saudável. Alguns pacientes me dizem que têm reuniões durante o almoço cujo horário é ditado pelos clientes ou por decisões da diretoria. É preciso ter cuidado com essas condições diferentes. Eis algumas coisas que você pode fazer para reforçar seu ritmo circadiano mesmo que seu horário de trabalho imponha algumas dificuldades:

Se normalmente trabalha até tarde... Faça questão de se levantar cedo e realizar os exercícios matutinos antes do café da manhã (veja mais sobre isso no Capítulo 8). Tome o café da manhã e faça um almoço substancial. Às 18h, saia de sua mesa, vá para um lugar tranquilo e coma uma refeição leve. Isso pode exigir que você leve duas marmitas, mas manter mantimentos como frutas e legumes já cortados no escritório ajuda a encontrar tempo para uma refeição noturna leve. Evite adiar o jantar até chegar em casa se trabalha até tarde toda noite. Em vez disso, planeje jantar enquanto ainda estiver trabalhando. Se, de vez em quando, você trabalha até tarde, é possível adiar o jantar nessas ocasiões, mas cuide para que essa refeição noturna seja bem pequena. Afaste-se da tecnologia depois do trabalho e tente encaixar alguma atividade meditativa. Depois do expediente, procure relaxar ativamente, sem beliscar, para se deitar na hora certa.

Se a hora do almoço varia por causa de reuniões... Uma paciente minha fazia videoconferências regulares com clientes importantes que invadiam a hora do almoço. Ela deu um jeito de se afastar das reuniões durante uns 15 minutos e ser substituída pelos colegas para que pudesse comer rapidinho. Talvez você não tenha essa flexibilidade. Se sua hora de almoço varia muito, então tome cuidado com o que come. Nada de carboidratos pesados ou amiláceo. Se tiver como determinar o horário do almoço – por exemplo, decidir para que horas reservar um almoço de negócios –, tente escolher um horário o mais perto possível do meio-dia. De qualquer jeito, mantenha intacto o resto de sua rotina, como a hora de dormir e de se exercitar.

Se você trabalha no turno da noite... O maior erro que as pessoas cometem no trabalho em turnos é comer à noite para ficarem acordadas. E então comem no fim do turno, como um café da manhã simulado, e cochilam e comem no decorrer do dia. Em vez disso, jejue o máximo possível durante as horas noturnas. Você pode tomar chá verde levemente adoçado se precisar de um reforço para ficar acordado. Quando chegar em casa no iniciozinho da manhã, durma primeiro, enquanto estiver escuro, exercite-se e depois coma. É bom se manter o mais próximo possível do ritmo circadiano natural.

Como evitar os anseios alimentares

Uma paciente minha trabalhava numa importante instituição sem fins lucrativos. Como parte de suas funções, ela realizava grandes festas para levantar fundos e me disse que as festas de fim de ano e as temporadas de arrecadação eram difíceis para ela por causa da comida deliciosa servida nessas ocasiões. Ela não conseguia resistir aos petiscos que passavam para lá e para cá e às refeições servidas no bufê, que continha todos os alimentos que ela sabia que não deveria comer. As festas em si eram maravilhosas, mas ela sempre acordava na manhã seguinte se sentindo esgotada e inchada. Se tivesse que frequentar várias festas num período de uma ou duas semanas (como muita gente faz no fim do ano), ela se via ansiosa por guloseimas o tempo todo e engordava. Então me perguntou como poderia interromper esse ciclo.

Quando converso com as pessoas sobre mudanças na alimentação, sempre enfatizo a diferença entre o que é gostoso para a língua e o que é nutritivo para o corpo. Muitos alimentos ricos em sal e açúcar têm gosto bom quando estão na boca, mas fazem você se sentir mal depois de comer. Uma solução é pôr o máximo possível de sabor em cada refeição.

As comidas pouco nutritivas, do tipo junk food, não são ricas só em gordura, mas também em sal e açúcar. Elas viciam e provocam anseios alimentares. Se você acrescentar o máximo possível dos seis sabores dominantes (doce, azedo, salgado, amargo, picante, adstringente) à sua alimentação, ensinará a língua a gostar de coisas diferentes. Ela não vai mais desejar somente dois sabores. Você se espantará com a rapidez com que seu gosto por junk food vai desaparecer quando puser outros sabores em sua alimentação.

Enganar a língua é surpreendentemente fácil. Quem já participou dos seminários do Chopra Center sabe que eles servem um pouquinho de líquido em copinhos de vidro antes de cada refeição. É uma mistura potente de gengibre, limão, sal, pimenta e mel. Já participei muito desses eventos e posso dizer que cerca de metade das pessoas resiste à bebida, principalmente depois que a experimentam. Torcem o nariz, fazem careta e dizem em voz alta que é horrível. Muito justo. Ninguém disse que o crescimento pessoal tem que ser gostoso desde o primeiro gole. Para mim, o interessante é que, no fim do seminário, essas mesmas pessoas sempre pedem a receita da bebida. Além de passarem a gostar do sabor, elas começam a sentir que precisam dela. Notam que, depois de tomá-la, apreciam mais o sabor da comida, comem menos e não têm os mesmos intensos anseios alimentares que tinham antes do seminário. Como isso é possível?

Essa bebida apresenta cinco ingredientes que contêm todos os sabores dominantes. Numa porção minúscula, você recebe algo que é, ao mesmo tempo, doce, azedo, salgado, amargo, picante e adstringente. Por ser tão complexa, ela desperta as papilas gustativas. Num único gole, você satisfez seu paladar antes de pôr a primeira garfada na boca. Idealmente, é isso que os aperitivos fariam num restaurante. Mas o que você costuma comer primeiro quando vai ao restaurante? Pão com manteiga ou azeite. Ou algo pesado, feito com farinha ou frito. Isso não desperta nenhuma papila gustativa; em vez disso, as faz dormir. Nos coquetéis, provavelmente lhe servem aperitivo gordurosos, pesados e salgados. Você não vê nada amargo nem picante. E, se beber um drinque, ele também fará suas papilas gustativas dormirem. Como seu corpo vai saber que ingeriu comida satisfatória e suficiente?

Recomendo experimentar essa bebida de gengibre. Não é preciso ingerir muita quantidade. Beba 1/4 de colher de chá antes de cada refeição para sentir o gosto e você verá como sua maneira de comer muda e como o desejo intenso por determinados alimentos diminui. Muita gente me diz que, depois de ingerir essa bebida durante cerca de uma semana, consegue sentir o sabor da comida de um jeito completamente diferente. Alimentos antes considerados insossos, como legumes e verduras, apresentam notas ricas e sutis. E alimentos antes considerados saborosos, como as balas, começam a ter um toque químico. Um paciente me disse que deu uma mordida em seu chocolate favorito e achou absolutamente nojento.

BEBIDA DE GENGIBRE PARA ATIVAR OS SABORES

2 colheres de chá de gengibre recém-ralado
4 a 5 colheres de chá de mel, açúcar demerara ou açúcar de tâmara
1/4 de colher de chá de sal do Himalaia
1/4 de colher de chá de pimenta-do-reino
2 colheres de chá de suco de limão

Num recipiente de vidro, misture bem todos os ingredientes. Guarde na geladeira no mesmo recipiente, onde se manterá fresco por cerca de um mês. Tome 1/4 de colher de chá dessa mistura de manhã em jejum ou antes das refeições. Você pode diluir em um pouco de água quente ou morna, se achar o sabor intenso demais.

Quer saber se funciona? Bom, recomendei a bebida à minha paciente que tinha que dar todos aqueles jantares para arrecadar fundos. Também a aconselhei a fazer o próprio jantar em casa, uma refeição bem leve composta de legumes no vapor e um pouco de arroz. Então, ela deveria fazer o seguinte: tomar uma provinha da bebida de gengibre, comer um pouco antes de ir à festa e ver como se sentia com a comida de lá. Quando voltou ao consultório tempos depois, ela disse que não tinha comido um único aperitivo em nenhuma das festas a que compareceu. Na verdade, ela me disse que a comida não a atraiu nem um pouco.

O horário das refeições é, verdadeiramente, o elo que falta para o emagrecimento e a ótima saúde. Com um café da manhã saudável e um almoço substancial, você fortalece o ritmo circadiano do cérebro e protege o trato intestinal e seu microbioma. E consegue normalizar o peso sem regimes alimentares intensamente restritivos. Mas também é importante comer os alimentos certos para o seu corpo. Em parte, você tem que comer os alimentos certos para qualquer corpo humano, ou seja, alimentos saudáveis e nutritivos. Mas é mais fácil resistir a fast-food, lanchinhos e guloseimas com uma boa rotina de horários para as refeições.

Sua segunda tarefa é encontrar a alimentação certa para você. Nem toda dieta funciona bem em todos os tipos de corpo. No próximo capítulo, mostrarei como descobrir qual é o seu tipo de corpo e que tipos de alimento são os mais propícios para manter sua saúde em dia.

7

A ALIMENTAÇÃO CERTA PARA VOCÊ

● ○ ◐ ●

O problema da maioria das dietas para emagrecimento é partir da premissa de que todos os corpos têm a mesma relação com a comida e que todo mundo precisa cortar calorias para perder peso e se sentir melhor. Sabemos que não é assim: se olhar em volta, você verá que cada pessoa tem um corpo diferente e desafios diferentes na hora de se alimentar.

Bruce me procurou recentemente depois de uma consulta frustrada com seu clínico geral. Os exames físico e de sangue mostraram aumento do colesterol, da glicose em jejum e da pressão arterial. As taxas não eram altas a ponto de exigir medicação, mas o médico avisou que era só uma questão de tempo para ele precisar de vários remédios para não ter um infarto nem desenvolver síndrome metabólica. "Emagreça um pouco", foi o conselho final do médico.

Bruce ficou irritado com isso. Pesava 108 quilos e sabia que devia emagrecer. Com pouco mais de 1,80 metro, portava bem o excesso de peso e, até pouco tempo atrás, sempre parecera forte e não gordo. Bruce se descreve como um viciado em comida e trabalho. Abriu uma pequena empresa que oferece programas educativos em nutrição. Viaja pelo país ensinando os outros a comer melhor. E tem um blog no qual avalia restaurantes com base na qualidade nutricional da comida. É um devoto da alimentação leve e saudável. Então por que seu peso estava fora de controle?

Do ponto de vista cronobiológico, Bruce tinha alguns problemas. O primeiro é que abusara do metabolismo naturalmente forte de seu organismo. Pessoas altas, musculosas ou atléticas provavelmente também têm metabolismo forte. Isso é bom quando somos jovens, porque nos permite comer mais do que os outros sem engordar muito. É tentador começar a construir a vida em torno da comida e de eventos ligados a ela. Pessoas como Bruce em geral acham que comer bem anula o efeito de comer demais, mas não anula, ainda mais quando essas refeições são de restaurante, com suas porções enormes e doses extras de sal e açúcar. A comida de muitos restaurantes contém ingredientes que não são tão saudáveis quanto parecem. É fácil comer demais, mesmo que você nunca toque em fast-food.

Ter 40 anos também não ajudava. A meia-idade é um período crucial para muitos amantes da boa comida. À medida que o metabolismo desacelera naturalmente, você tende a perceber que os antigos hábitos alimentares não servem mais. A alimentação não mudou, mas o corpo, sim. A falta de sono e o pouco tempo para praticar exercícios só exacerbam a situação. Sem um plano alimentar adequado, algumas pessoas se veem repentinamente propensas à obesidade. Mas qual é o plano certo para você?

É difícil saber o que mudar quando você não entende como seu corpo funciona. Passo aos pacientes um questionário sobre tipos de corpo para ajudá-los a entender sua relação com a comida. Esse questionário também se concentra em algo a que a maioria das dietas não dá importância: ele pergunta sobre a digestão, que é um aspecto decisivo sobre o seu tipo de corpo. Afinal de contas, no ayurveda sabemos que o peso não depende só do que comemos – também depende de como se faz a digestão.

Descubra seu tipo metabólico respondendo às perguntas a seguir. Mais uma vez, não existe resposta errada e tudo bem se, para algumas perguntas, nenhuma das opções se encaixar perfeitamente. Tente encontrar a resposta que chega mais perto de descrever a sua realidade na maioria das vezes.

1. Quando adolescente, a maior queixa de meus pais sobre minha relação com a comida era que:
    a. Eu era chato para comer.
    b. Eu sentia fome pouco depois de terminar a refeição.
    c. Eu comia doces e alimentos gordurosos em grande quantidade.

2. Na adolescência, meu tipo físico podia ser descrito como:
    a. Magro ou miúdo.
    b. Musculoso ou alto.
    c. Robusto, seja qual for a altura.

3. Quando vou a um restaurante desconhecido, minha principal preocupação é:
    a. Terão algo que eu possa comer?
    b. Estarão à altura da fama?
    c. Terão aquelas comidinhas deliciosas que alimentam a alma?

4. Quando sou forçado a pular uma refeição ou me esqueço de comer, me sinto:
    a. Disperso e aéreo, mas nem sempre com fome.
    b. Faminto e irritável.
    c. Bem. Às vezes, muito bem.

5. Pela manhã:
    a. Raramente tenho fome.
    b. Geralmente tenho fome.
    c. Ainda estou cheio por causa da refeição noturna.

6. Quando tenho um dia sobrecarregado no trabalho, no almoço é mais provável que:
    a. Eu me esqueça de comer ou escolha algo para comer rápido, mesmo que seja pouco saudável ou não me satisfaça.
    b. Faça uma refeição decente, nem que seja uma quentinha.
    c. Almoce normalmente e depois procure algo doce como recompensa.

7. Quando pulo o almoço é porque:
   a. Esqueci de comer ou ainda não estou com fome.
   b. Estou malhando ou terminando algum trabalho com prazo apertado.
   c. Raramente pulo refeições. Gosto de reservar um tempo para comer.

8. Em termos de preparar um jantar saudável, eu:
   a. Geralmente não tenho energia para cozinhar à noite.
   b. Quero muito me sentar e apreciar a refeição, mesmo que seja tarde da noite.
   c. No fim do dia, quero uma comida que me dê prazer. Não quero pensar em dietas.

9. Quando tento fazer dieta, tenho dificuldade porque:
   a. Fico muito motivado nas primeiras semanas, mas a vida atrapalha.
   b. No fim de um dia de dieta, sinto tanta fome que desisto e começo a beliscar.
   c. A vontade de comer certas coisas nunca passa. É difícil abrir mão para sempre do que mais gosto de comer.

10. Meu maior desafio ao começar um novo regime alimentar é:
   a. Fico sobrecarregado com os detalhes, as compras, o planejamento e o preparo de receitas novas.
   b. Temo que vá sentir fome o tempo todo.
   c. Acho difícil resistir à tentação de comer o que não devo.

11. Qual é o resultado típico de suas dietas no passado?
   a. Perco de 2 a 3 quilos e me sinto bem, mas não o suficiente para compensar o esforço.
   b. Sou vigilante em relação a atingir a meta de peso, por mais que doa.
   c. Meu corpo simplesmente não coopera. Esperar que aquele número mude na balança é quase uma tortura.

12. Quando penso que gostaria de mudar minha alimentação, meu maior problema é:

a. Às vezes fico obcecado com as calorias, outras vezes me esqueço de contá-las.

b. Sei que não deveria beliscar o dia inteiro, mas não consigo pensar quando estou com fome.

c. Recorro à comida quando estou estressado ou deprimido.

13. Quando considero emagrecer, meu pensamento é:
    a. Se eu mudar um ou dois hábitos, emagreço. Sempre emagreci.
    b. Eu conseguiria emagrecer se me exercitasse mais.
    c. Meu peso é um problema há muito tempo e acho que isso não vai mudar.

14. Quando atravesso fusos horários, meu maior problema digestivo é:
    a. Náusea. Não sinto fome no novo horário das refeições.
    b. Prisão de ventre.
    c. Eu me sinto inchado e retenho líquido.

15. Belisco entre as refeições principalmente porque:
    a. Estou um pouco entediado ou me esqueci de fazer uma refeição.
    b. Sinto fome o tempo todo.
    c. Preciso de conforto ou me distrair do que deveria estar fazendo.

16. Eu diria sobre meu funcionamento intestinal:
    a. As fezes são duras ou secas às vezes, e às vezes tenho prisão de ventre.
    b. Funciona como um relógio, todos os dias.
    c. As fezes às vezes são lisas e bem formadas, outras vezes frouxas e aguadas.

TOTAL: A: _____ B: _____ C: _____

Se respondeu mais A, você tem o que chamo de metabolismo variável (*vata*). Se respondeu B à maioria das perguntas, eu diria que tem metabolismo forte (*pitta*). Se respondeu principalmente C, você tem metabolismo lento (*kapha*). Não é certo nem errado ser de um jeito ou de outro, e tudo bem se seu tipo alimentar não corresponde a seu tipo de sono. Isso é apenas um reflexo de como seu corpo reage à comida e de como sua atitude em relação a comer e engordar foram em parte configuradas por essa reação.

Metabolismo variável

Se respondeu A à maioria das perguntas, você tem metabolismo variável. Como as pessoas com sono leve, você é do tipo *vata*, associado ao ar e, portanto, a tudo o que envolve movimento no corpo, como a circulação do sangue, a respiração e os exercícios. Embora seja verdade que pessoas com sono leve frequentemente tenham metabolismo variável, é possível que você tenha um estilo de dormir diferente do de comer. As pessoas com metabolismo variável quase nunca sabem quando terão fome e, em consequência, o horário das refeições tende a flutuar de um dia para outro.

Na infância, talvez você fosse chato para comer ou se sentasse à mesa e beliscasse alguma coisa aqui, outra ali e nunca limpasse o prato. Talvez conversasse enquanto comia, ou se interessava tanto pela conversa que se esquecia de comer. Ou devaneava e se distraía demais para se concentrar na comida. Talvez se lembre de ocasiões, quando criança, em que não tinha fome na hora das refeições. Provavelmente tinha estatura pequena e ossos miúdos, principalmente nos pulsos e tornozelos. Quando criança, deve ter havido ocasiões em que corria de um lado para outro, ansioso para ver os amigos, mas também outras em que precisava de algum tempo a sós para recarregar as energias.

Na adolescência, provavelmente você mais lanchava do que comia comida de verdade, e seus pais talvez comentassem sobre seu pouco apetite pelas refeições da família e seu apetite maior por doces e outras guloseimas. Você era a pessoa que não se interessava pelo almoço mas ficava faminta às 14h. Se esse é o caso, você deve ter levado esse estilo para a idade adulta, pulando algumas refeições ou pensando que um punhado de castanhas basta como almoço e depois se perguntando por que está com dor de cabeça e pegando um café e um pacote de biscoitos ou salgadinhos no meio da tarde.

Não é raro que as pessoas com metabolismo variável fiquem famintas numa refeição e não se interessem mais por comida no resto do dia. Às vezes você tem fome, mas está tão envolvido com o que está fazendo que não se interrompe para comer. Quando come, mantém a multitarefa, ou seja, come em pé na bancada da cozinha, sentado à mesa de trabalho ou falando ao telefone. No decorrer do dia, você tem surtos enormes de energia nos quais faz planos e mergulha de cabeça no trabalho, anulando todo o resto. Quando a energia desaparece e seu ânimo despenca, procura comida para se abastecer pelo resto do dia.

No início da idade adulta, as pessoas com metabolismo variável conseguem viver bem, mesmo comendo de maneira aleatória. Como seu corpo jovem não armazena gordura com facilidade, podem ter uma alimentação péssima e não engordar muito. Até podem querer perder de 2 a 5 quilos, mas nunca correm risco de obesidade. Ficam tão ocupados falando, se mexendo, correndo de um lado para outro e fazendo várias coisas ao mesmo tempo que queimam a maior parte do que comem.

Em geral, as pessoas com metabolismo variável têm pouquíssima experiência com dietas no início da idade adulta. Se tiver metabolismo variável, você pode reduzir alguns maus hábitos durante algumas semanas ou praticar um pouco de exercício, sabendo que seu peso dará um jeito de se normalizar. E tudo bem, porque você talvez não tenha paciência para todas as regras e todo o preparo de comida de uma dieta formal.

Muita gente com metabolismo variável ganhou e perdeu os mesmos 5 quilos muitas vezes. Adoram começar uma nova dieta e uma nova rotina de exercícios, mas isso nunca dura muito. Se esse é o seu caso, talvez você sempre tenha pensado que sua desculpa secreta é não ter nenhuma força de vontade na hora de fazer dieta. Não. A verdade é que você se entedia facilmente, e a maioria das dietas é mesmo entediante.

Tudo isso muda conforme o corpo vai envelhecendo. Depois dos 30 e, principalmente, dos 40, o peso começa a aumentar com mais constância. Pular refeições de vez em quando e comer demais em outras ocasiões estressa o metabolismo, e seu corpo pode ficar mais resistente à insulina. Você continua equilibrando vários projetos e ambições enquanto corre para lá e para cá e talvez perceba que é mais difícil adormecer à noite. Isso também faz você engordar. E talvez você descubra que manter uma rotina de exercícios fica mais difícil com sua vida agitada. Tudo isso também significa que seu intestino começa a dar problemas. Você pode ter prisão de ventre, gases e inchaço.

As pessoas com metabolismo variável também podem engordar por causa de alguma mudança significativa de humor ou de circunstâncias pessoais: migraram para outro país, perderam o emprego, terminaram um relacionamento, aceitaram um emprego de que não gostam ou entraram numa fase da vida em que têm que cuidar de alguém doente. O estresse exerce uma força poderosa sobre o corpo e desacelera ainda mais o metabolismo.

Se você tiver metabolismo variável, eis algumas coisas que precisa fazer para manter seu corpo no rumo certo:

ESTABELEÇA UM HORÁRIO REGULAR PARA AS REFEIÇÕES. Você tem que parar de pular refeições, mesmo que a princípio não sinta fome em determinadas horas do dia. Use um alarme, se for preciso. A ideia de que pode deixar de comer e poupar essas calorias para mais tarde não funciona. É preciso treinar seu corpo para esperar alimento em determinados horários. Se tomar um café da manhã leve com boas fibras, como mingau de aveia ou uma vitamina com muitas frutas e verduras, seguido por um almoço substancial, você não sentirá tanta fome no jantar. Assim, poderá tomar uma sopinha ou comer uma salada e seu corpo ficará satisfeito. Melhor ainda, terá uma energia mais constante no meio do dia, quando quer mergulhar em seus planos e projetos. Em poucas semanas você começará a sentir fome nesse horário e ficará menos tentado por lanchinhos.

PRIORIZE AS FIBRAS. As pessoas que tendem a comer o dia inteiro raramente têm legumes, verduras e fibras suficientes na alimentação. É fácil demais comer açúcares refinados e petiscos salgados à base de farinha de trigo e chamar isso de refeição. É por isso que você pode ter prisão de ventre. E mais: talvez você recorra a alimentos pesados e massudos (macarrão, pizza, bolinhos) quando se sente disperso e sobrecarregado. Essas coisas desaceleram o metabolismo e roubam sua energia. Elabore todas as refeições a partir de legumes, verduras, frutas e grãos e cereais integrais. Se come carne, inclua-a no meio do dia, quando o corpo consegue digeri-la melhor.

EVITE A DESIDRATAÇÃO. Se seu nível de energia varia o dia inteiro, você luta contra a desidratação, mesmo sem saber. É bom aumentar a ingestão de água. Divida seu peso por 30 e saberá quantos litros de água deve beber por dia. Mantenha uma garrafa de água por perto enquanto trabalha e verá que seu humor e seu raciocínio melhoram. Beber mais água auxilia a digestão e emagrece. Muita gente com esse tipo de metabolismo também precisa reduzir a quantidade de bebidas desidratantes que toma todo dia. Isso significa menos cafeína, álcool e refrigerante e mais chás de ervas ou água quente com limão. Além disso, repense sua relação com os alimentos e petiscos secos e desidratados. Evite alimentos salgados, como batatas chips, biscoitos e pipoca, porque secam seu sistema.

NÃO SE PREOCUPE TANTO COM A GORDURA. Se o seu metabolismo é variável, provavelmente você não precisa restringir gorduras para emagrecer ou para não engordar. Você tem sorte. Na verdade, a maioria de meus pacientes dessa categoria que fazem uma dieta pobre em gordura veem a pele ficar seca e o humor flutuar bastante. Ao contrário das pessoas com metabolismo mais lento, você pode comer um pouco de carne. Só fique atento ao tamanho das porções, porque seu fogo digestivo não é forte a ponto de queimar tudo. Pela mesma razão, você pode consumir alguns laticínios, mas deve evitar sorvete, porque alimentos gelados enfraquecem sua digestão. Coma muitas nozes e castanhas e óleos saudáveis sem se preocupar com o risco de engordar. Como os tipos *vata* lutam contra a desidratação, seu sistema absorve bem esses óleos, que vão nutrir tecidos e articulações. Você não precisa de molho sem gordura na salada. Em vez disso, aprecie as gorduras boas, que alimentam sua pele, seu cérebro e suas articulações.

ANALISE SEU CORPO ANTES E DEPOIS DE COMER. Esse conselho é bom para todo mundo, mas as pessoas com metabolismo variável são notórias por comer ou beliscar sem prestar atenção nisso. Comem à mesa enquanto trabalham; devoram qualquer coisa em pé ou andando. Em vez disso, você precisa se sentar e realmente se concentrar em apreciar a comida à sua frente. Sempre, sempre saia do local de trabalho para comer. Você pode levar a sua marmita e comer ao ar livre ou ir a um restaurante tomar uma tigela de sopa. Antes de dar a primeira garfada, sente-se em silêncio e pense em como seu corpo se sente. Só por alguns segundos. Faça a conexão entre sentimentos e comida. Isso também é útil naquelas ocasiões em que você come alguma coisa que sabe que não é tão saudável quanto gostaria. Observe seu corpo antes de comer, aprecie o alimento e verifique seu corpo depois. Como se sente? Como há uma diferença entre o que parece gostoso na língua e o que parece bom dentro do corpo, você tem que fazer a conexão entre os dois sentimentos para realizar escolhas alimentares melhores.

Metabolismo forte

Se você respondeu B à maioria das perguntas, tem o que chamo de metabolismo forte. Se assim for, você é *pitta*, associado ao fogo e, portanto, a tudo o que envolve calor, como a digestão e a nutrição. Seu corpo é e sempre foi uma máquina de queimar calorias. A temperatura de seu corpo é alta, assim como a das suas emoções. Você pode e precisa comer muito para manter a energia e o foco. Na verdade, se pular uma refeição você pode ficar irritado e incapaz de se concentrar.

Quando criança, você nunca foi chato para comer. Podia ter alimentos favoritos e outros menos favoritos, mas comia e digeria quase tudo o que pusessem à sua frente. Talvez tenha passado por fases na infância em que ficou um pouco cheinho, mas então espichava numa fase de crescimento.

Na adolescência, era você que terminava de comer antes de todo mundo, repetia e, uma hora depois, já estava perguntando a que horas seria a próxima refeição. Talvez escapasse para a cozinha tarde da noite para fazer um sanduíche ou atacasse a despensa antes de dormir porque a fome simplesmente não passava. Você pode ter recorrido intensamente a refrigerantes, bebidas esportivas e sobremesas gordurosas para obter as calorias de que precisava para seu corpo em crescimento. É provável que tivesse a compleição musculosa, de tamanho médio, ou fosse alto mesmo na adolescência. Talvez se descreva como alguém com estômago de ferro e funcionamento intestinal regular. Seu corpo digere o mais depressa que pode.

Você sempre foi ativo, interessado em movimento, realização e perfeccionismo. Talvez tenha praticado esportes ou participado de eventos de resistência e é naturalmente competitivo. Toda essa atividade lhe dava ainda mais fome. Muita gente que vejo nessa categoria aprendeu a se entupir de comida na adolescência e no início da idade adulta. Acostumou-se a temer sentir-se faminto e a associar a sensação de estar empanturrado a satisfação e segurança.

Quando jovem adulto, talvez você tenha continuado a fazer grandes refeições com lanches frequentes, que incluíam bebidas esportivas, barras de granola e shakes de proteína. E talvez tenha usado o exercício como mecanismo primário para controlar o peso. Pode ter dito a si mesmo que podia comer o que quisesse, desde que equilibrasse com exercícios, o que provavelmente era verdade para você naquela época.

As pessoas com metabolismo forte fazem experiências com as dietas. Os tipos *pitta* são perfeccionistas natos e se sentem atraídos pela ideia do corpo perfeito ou da comida saudável. Podem ser motivados apenas pelo número na balança e, por algum tempo, conseguem se privar e suportar a fome e a irritação para atingir essa meta. As pessoas dessa categoria também se sentem atraídas pelos esportes de resistência porque um cronograma de treinamento organizado com uma meta específica as ajuda a comer o que quiserem sem se preocupar com o risco de engordar. Fazem isso por algum tempo, mas depois outras metas e estressores assumem o controle.

As pessoas com digestão forte também amam comer. Adoram refeições elaboradas de restaurantes e criam rituais alimentares. Associam comer ao prazer e, frequentemente, não pensam no fato de que a comida oferece dois prazeres, um na língua e outro dentro do corpo.

Equilibrar a necessidade intensa de calorias e o desejo de exercícios dá certo até a meia-idade, quando o metabolismo começa a desacelerar. Ao mesmo tempo, as lesões esportivas tornam-se mais comuns. Talvez você desenvolva uma lesão que o impeça de ir à academia ou o force a reduzir a intensidade de seus exercícios. É aí que o ganho de peso começa a se insinuar. Chega uma hora em que o exercício intenso não fará o relógio de seu metabolismo andar para trás. A essa altura, muita gente que conheço já engordou 15 ou mais quilos no decorrer de vários anos.

Foi o que aconteceu com Bruce. Ele dizia a si mesmo que, desde que escolhesse alimentos saudáveis, poderia comer quanto quisesse. Como muita gente com seu tipo de corpo, ele aprendeu a comer além do ponto em que se sentia satisfeito. Comia até se sentir empanturrado. De certo modo, essa sensação de empanturramento era uma medida de seu sucesso. Se você adora comer, precisa tirar esse amor do cenário dos restaurantes e levá-lo para casa. Preparar as refeições em casa lhe dá o prazer de estar cercado de comida sem fazer uma refeição com muitos pratos. Você também aprenderá a ajustar as porções a um tamanho mais apropriado.

Se tem esse tipo de corpo, você precisa das estratégias específicas a seguir para promover o emagrecimento enquanto conserva seu fogo digestivo:

PREFIRA ALIMENTOS "LIMPOS". Se o seu corpo é uma fornalha de calorias e nutrição, é preciso abastecê-lo com combustível limpo. Isso significa reduzir carne vermelha, carne de porco e frutos do mar. E recusar molhos pesados, alimentos fritos e a maioria das junk foods. Concentre-se nas proteínas sob a forma de carne branca, clara de ovo e tofu. Coma queijos com baixo teor de sal, para não reter muito sódio. Tente construir as refeições em torno de frutas, legumes e verduras, que lhe permitirão se sentir satisfeito sem confundir seu corpo com molhos e gorduras pesadas que o deixam entorpecido e, provavelmente, interferem em seu sono.

PLANEJE A MAIOR REFEIÇÃO PARA O MEIO-DIA. Sim, isso é importante para todos, mas não é negociável nas pessoas com metabolismo forte. Se está acostumado a deixar a maior refeição para o fim do dia, você está atuando contra seu metabolismo naturalmente acelerado. Ingerir muitas calorias depois do trabalho é impedir que você perca o excesso de peso. Também contribui para indigestão noturna, azia e congestão. Basta passar a maior refeição para o meio do dia para dar a partida no emagrecimento que você pretende conseguir.

Aprenda a diferença entre fome real e fome falsa. Se passou anos fazendo grandes refeições com lanchinhos frequentes, seu corpo está acostumado a ter glicemia alta o dia inteiro. Sempre que sua glicemia cai um pouquinho, o corpo entra em pânico e lhe diz que está faminto, embora não esteja. Não se preocupe; seu corpo pode aprender a diferença entre fome real e fome falsa. Enquanto treina o corpo a seguir uma rotina de horários mais estrita, recomendo manter à mão uma garrafa térmica de chá verde adoçado com mel. Você pode ir bebericando o chá a manhã toda no lugar do café para se manter longe das máquinas de refrigerante e salgadinhos. À tarde, troque por água com limão, que ajudará a regular a glicemia e impedirá que você sinta fome entre as refeições. Geralmente, alguns goles de água eliminam a fome falsa.

Resfrie a digestão. Seu metabolismo é quente como suas emoções. Portanto, mantenha distância de alimentos apimentados, que podem fazer você corar e suar. Eles também provocam congestão e azia. Seu corpo prefere temperos mais suaves e aromáticos. Na busca por libertar sua alimentação de petiscos nada nutritivos, concentre-se em alimentos crus e recorra a frutas e legumes para se resfriar e acalmar a fome. Eles duram mais no organismo do que doces e petiscos salgados.

Coma doces com sabor complexo. Se você gosta de doces, vai querer guloseimas o dia todo. Muita gente com metabolismo forte adora um docinho. Mas é importante lembrar que há vários tipos de açúcar e que não é preciso evitar todos, mas escolher o tipo certo. Açúcar e farinha de trigo refinados tornarão mais forte seu gosto pelos doces. As frutas, por outro lado, contêm muitos sabores complexos. A maçã contém doçura, mas também é ácida e crocante. Quando escolher alimentos para uma refeição ou um lanche, prefira os que tiverem muitos sabores e texturas complexos. Eles o ajudarão a se sentir satisfeito.

Metabolismo lento

Se você respondeu C à maioria das perguntas, provavelmente tem metabolismo mais lento. No ayurveda, você seria chamado de *kapha*, associado à água e, portanto, a tudo o que envolve hidratação e estrutura corporal. Com essa constituição, seu corpo armazena líquidos e gorduras com mais facilidade. Em termos de compleição, você tem um corpo robusto, com ossos e articulações maiores. Talvez tenha olhos grandes, cabelo volumoso e pele lisa e fria ao toque. Seu metabolismo também lhe permite trabalhar mais e por mais tempo num projeto do que todos os outros. Você lida com estresse e discórdia melhor do que ninguém no local de trabalho. Não está à mercê de seu humor, como os outros tipos de corpo, e na verdade pode se manter saudável por mais tempo.

Quando bebê, você foi uma bênção. Dormia bem e, em geral, estava contente. Logo que começou a andar, era tranquilo, curioso e feliz. Quando aprendia alguma coisa, lembrava-se dela para sempre. Nunca foi chato para comer e ficou forte depressa. Um pouco mais velho e também na adolescência, seu relacionamento com a comida talvez tenha ficado mais conturbado. Numa cultura que prioriza o corpo magro e até esquelético, pode ser que tenha brigado, ainda pequeno, com a ideia de que seu corpo deveria ser diferente do que é naturalmente.

Com seus ossos e articulações maiores, seria impossível ter uma compleição miúda e magérrima. Ainda assim, seus pais podem ter incentivado a ideia de que você deveria ser magro e comer menos do que come. Isso acontece mais com as mulheres, mas até aos meninos estão ensinando que deveriam ter cintura fina e músculos visíveis. Quando criança, seu corpo não era assim. Se teve irmãos ou amigos com um tipo de corpo diferente, talvez se perguntasse por que conseguiam comer mais do que você e continuar magros. Sua paixão por comida e doces provavelmente não era maior do que a deles. As pessoas com metabolismo mais lento terão dificuldade com essa noção sobretudo nos 20 primeiros anos de vida, porque é nessa fase que o corpo naturalmente armazena líquido e gordura para crescer.

Como seu corpo retém líquido, talvez você seja propenso a pegar resfriados no inverno. Seu sistema respiratório produz mais muco e é sensível ao pólen e às toxinas do ar. É mais provável que você engorde na primavera, quando em muitos lugares o clima é úmido; se mudar para um clima constantemente úmido, talvez você engorde ainda mais.

Quando jovem adulto, talvez você tenha feito muitas dietas. As pessoas que examino com esse tipo de corpo tentaram todas as dietas da moda e flertaram com exercícios puxados uma ou duas vezes para fazer seu corpo ficar como acham que deveria. O problema dos regimes restritivos e seus alimentos "de dieta", como bebidas e barras para substituir refeições, é que contêm nutrientes sintéticos, e os alimentos com poucas calorias contêm adoçantes artificiais. Nada nesses itens satisfaz o corpo ou o paladar. Na verdade, eles podem provocar compulsões alimentares depois. É por isso que o peso das pessoas que vivem de dieta geralmente oscila muito. Você passou fome sem encontrar satisfação nos alimentos não processados e depois exagerou quando não conseguiu mais se segurar.

No outro extremo, atendo pessoas que desistiram das dietas. É compreensível que estejam frustradas, porque, quando fazem dieta, têm que ficar absolutamente vigilantes para emagrecer. Ao mesmo tempo, os outros parecem capazes de comer doces e alimentos nada saudáveis quase à vontade. O pior é que essas pessoas se sentem julgadas por quem come mais do que elas e por quem faz escolhas alimentares péssimas sem sofrer as consequências.

Se você abriu mão das dietas e dos exercícios e tem metabolismo lento, pode engordar 2 a 5 quilos por ano comendo do mesmo modo que seus amigos e familiares. Com isso, é fácil cair na obesidade bem antes da meia-idade. O que digo a quem sofre com o metabolismo lento é que há formas de fazer dieta que lhes dão uma chance maior de manter o peso saudável. Para isso, você precisa de uma alimentação que remova toxinas e desestimule o corpo a reter líquidos.

Os tipos *kapha* vão se beneficiar mais das seguintes medidas:

FAÇA PRIMEIRO UMA DESINTOXICAÇÃO. Por ter um organismo que retém líquidos e células adiposas, você guarda as toxinas que ingeriu com os alimentos nada saudáveis. No ayurveda, chamamos as toxinas de *ama*, e você pode perceber *ama* no corpo na forma de congestão, uma camada esbranquiçada ou amarelada na língua pela manhã ou apenas uma sensação de inchaço ou peso pela manhã ou depois de comer. Na verdade, se estiver acumulando *ama*, talvez você note que pesa mais pela manhã do que na noite anterior. É preciso eliminar isso do organismo com uma dieta desintoxicante que exclua açúcares e farinhas refinadas, a maioria das carnes e a maioria dos laticínios.

Parece rígido, mas, quando as pessoas de metabolismo lento abrem mão de farinha e laticínios, seu corpo reage quase de imediato. Os laticínios são notórios por provocar a formação de muco no corpo, e a maioria das pessoas dessa categoria começa a notar que seu sistema digestivo reage mal aos laticínios e produtos derivados de carne – e, para quem tem azia ou congestão, a reação vem logo depois de ingeri-los. Muitos pacientes meus descobrem que se sentem muito bem com uma alimentação vegetariana ou vegana, desde que não enfatizem massas, arroz e itens de panificação à base de farinha de trigo.

Para dar um estímulo ao organismo e iniciar a mudança, use a dieta detox da página 135. Adote essa dieta durante três ou quatro semanas e veja como seu corpo reage. Geralmente as pessoas se surpreendem ao ver como se sentem bem com ela.

PERGUNTE-SE SE ESTÁ MESMO COM FOME. Embora esse conselho seja válido para todos, ele é fundamental para os tipos *kapha*. Descobri que as pessoas com esse tipo de corpo não sentem tanta fome quanto pensam. Elas treinaram o corpo a comer três vezes por dia ou mais, porém, quando de fato se conectam com seu corpo, descobrem que não têm tanto apetite assim. Tendem a beliscar durante a refeição em vez de engolir a comida como fazem os outros. Se tiver esse metabolismo, talvez você tenha dito a si mesmo que não tem força de vontade ou que as dietas são sempre um sofrimento, mas isso não é necessariamente verdadeiro para você. Seu corpo contém muita sabedoria sobre o que precisa e, caso se observe antes e depois de cada refeição e se pergunte "Como me sinto?", talvez você se surpreenda com o que aprenderá. Seu corpo pode se dar bem com muito menos comida do que a alimentação ocidental típica prescreve. Se optar pela comida limpa (alimentos mais naturais e menos carnes) e só quando estiver mesmo com fome, seu corpo o recompensará com energia renovada e clareza mental. Embora possa precisar de algumas semanas de comida limpa para retreinar as papilas gustativas, você vai conseguir. Já vi isso acontecer muitas vezes.

Adote o jejum suave. O verdadeiro poder desse tipo de corpo é a capacidade de ficar sem comida de vez em quando sem sofrer. Se pular a refeição da noite, você não vai entrar em colapso como as pessoas com metabolismo variável nem ficar irritado e mal-humorado como as pessoas com metabolismo forte. Continuará a ser a mesma pessoa gentil e concentrada que sempre apresenta ao mundo. Os outros não podem pular refeições porque seu cérebro e seu corpo ficam confusos, mas você pode. Na verdade, muitos pacientes meus tentam pular o jantar algumas noites por semana e, de fato, se sentem muito bem. Sentem-se mais leves, como se o corpo e a mente funcionassem melhor do que nunca.

Priorize alimentos amargos e adstringentes. Os outros tipos de corpo provavelmente deveriam manter distância do café, mas, se você tem o metabolismo mais lento, sorte sua: o café preto lhe faz bem. Ele é um diurético natural, ou seja, remove de seu organismo os líquidos que seu corpo reteria. Você também pode tomar muito chá preto e verde de manhã para dar a partida no metabolismo e liberar líquidos do sistema. Em termos de frutas, pode comer qualquer uma que seja adstringente, como maçã, pera, toranja e, com moderação, a maioria das frutas secas. É melhor se afastar do doce e priorizar outros sabores. Água quente com limão e gengibre pode ser o sustentáculo de sua alimentação diária – além de ajudar a retreinar suas papilas gustativas.

Aprecie os temperos. Se adora sabores variados, aproveite ao máximo os condimentos. Esse tipo de corpo combina muito bem com qualquer prato que seja bem temperado e apimentado. Os temperos picantes eliminam muco do organismo. Digo às pessoas que comam o que der uma sensação de calor ou ardência no corpo, como molhos apimentados vegetarianos ou líquidos quentes. Um ótimo exemplo são os pratos da culinária tailandesa.

Experimente curry de hortaliças com pimenta (sem arroz), porque é bem picante e satisfatório. É bom comer pratos que abram as vias aéreas e melhorem a respiração.

A dieta detox

A maior parte deste livro se concentra em alinhar seu corpo ao ritmo circadiano para que você durma melhor e emagreça naturalmente. Mas algumas pessoas que atendo no consultório precisam se recuperar de anos ou até décadas de má alimentação. Se quer perder mais de 15 quilos, é possível que seu corpo necessite de mais do que o importantíssimo realinhamento do ritmo circadiano. Antes de se preparar para comer corretamente de acordo com seu tipo de corpo, talvez seja preciso retreiná-lo a melhorar a digestão e ajudar suas papilas gustativas a apreciarem mais a boa comida.

Quando as pessoas me procuram com dificuldade grave para emagrecer, submeto-as a uma dieta detox durante várias semanas. É um plano alimentar que se parece com as dietas populares de pouco carboidrato ou que alguns chamariam de dietas de "carboidratos lentos". Ao eliminar todos os alimentos que retêm toxinas no corpo, além de dar a partida no emagrecimento você dormirá melhor e terá mais energia para se exercitar. Mas lembre-se de que essa é uma dieta temporária. Na verdade, nem todo mundo precisa dela. Ela funciona melhor com pessoas que engordaram tanto que não conseguem digerir totalmente o que comem a cada dia e, portanto, não veem resultado com dietas comuns.

Se você tem metabolismo variável, siga essa dieta durante, no máximo, uma ou duas semanas. Se tiver metabolismo forte, pode fazer a dieta por até quatro semanas. Se tiver metabolismo lento, pode se manter nessa dieta detox pelo tempo que quiser, mas talvez seja bom sair dela de vez em quando para recomeçar na mudança das estações. Quando o corpo passa de uma estação a outra, é mais provável que as toxinas se acumulem, portanto é uma boa hora para iniciar uma desintoxicação como essa.

No ayurveda, falamos de enfatizar os alimentos inteligentes – que contêm fitonutrientes – porque são vivos e vibrantes. Todo mundo deve preferir alimentos cultivados na natureza e não refinados, mas isso é ainda mais verdadeiro quando se tenta desintoxicar o corpo. O problema de seguir uma alimentação rica em alimentos refinados e industrializados é que seu corpo não consegue digerir prontamente esses ingredientes. Eles deixam resíduos no sistema digestivo. Os alimentos não processados, por sua vez, podem ser inteiramente digeridos e sair do corpo sem deixar resíduos. Gosto de dizer aos pacientes que o sistema digestivo é como um tapete e que os resíduos dos alimentos ruins ficam presos nele. O bônus é que é difícil passar do ponto fazendo essa dieta.

Com isso em mente, sua dieta detox deveria enfatizar alimentos mais naturais e os mais fáceis de digerir.

LEGUMES E VERDURAS: Não tem como comê-los em excesso. É melhor que sejam crus ou levemente cozidos no vapor. E essa será a base de todos os almoços e jantares. Se precisar temperá-los, use algo à base de vinagre, com pouquíssimo óleo. Os brotos contam como verduras e são muito saudáveis e desintoxicantes. Você também pode tomar sucos de legumes e verduras, mas fique longe do suco de cenoura. Os únicos legumes a evitar são os amiláceos pesados, como batata e batata-doce.

TEMPEROS: Use temperos à vontade nessa dieta. Eles realçam o sabor dos legumes e verduras. A única exceção é o sal, que é melhor usar em pequena quantidade porque pode causar inchaço.

GRÃOS E CEREAIS INTEGRAIS: A maioria já sabe que as farinhas refinadas não são boas para quem quer desintoxicar o organismo e emagrecer. Portanto, evite pães, bolos e massas. Você pode comer um pouco de aveia em flocos grandes, e as pessoas nessa fase de desintoxicação devem evitar inteiramente todos os produtos à base de farinha de trigo. Você pode comer muitos grãos e cereais integrais, como cevada ou arroz basmati misturados em partes iguais com feijão-mungo, preparados como um tipo de sopa de lentilha chamada *kitchari*. O arroz basmati é um cereal excelente para desintoxicar por ser facílimo de digerir.

Sementes, nozes e castanhas: Sementes cruas, como as de girassol, abóbora e gergelim, podem ser consumidas de vez em quando. Funcionam bem quando polvilhadas moderadamente no mingau de aveia ou nos legumes.

Enquanto estiver se desintoxicando, é bom evitar alguns alimentos (embora suas papilas gustativas os adorem):

Farinhas: A maioria não percebe que depende de produtos à base de farinhas refinadas como foco da alimentação. Biscoitos, pão árabe, cereais matinais de flocos de milho e até pães integrais contêm muitos cereais refinados que sabotam quaisquer metas de emagrecimento ou desintoxicação. Fazem a glicemia subir e aumentam a fome mais tarde. Essas coisas enchem, mas não nutrem.

Laticínios: O leite e os outros laticínios produzem muco no organismo, ainda mais quando pasteurizados. O iogurte costuma ser considerado um alimento saudável, mas o tipo de iogurte que a maioria compra contém muito açúcar e pouquíssimas culturas saudáveis. Portanto, não é melhor que os outros tipos de laticínio. É bom evitar o iogurte enquanto estiver se desintoxicando. Ele tem fama de saudável porque, quando fresco e feito em casa, contém muitas bactérias vivas que são boas para o sistema digestivo. Esses lactobacilos saudáveis fazem bem a todos, mas você pode obtê-los no *kimchi* ou na *kombucha*. É possível até tomar suplementos de lactobacilos na forma de comprimidos. Embora quase todos os laticínios estejam fora do cardápio, você pode usar leitelho ayurvédico sem sal ou *ghee* em pequenas quantidades.

Carnes: Os produtos de origem animal costumam fazer o corpo acumular toxinas e, nessa fase de desintoxicação, você deve evitar todas as carnes, inclusive peixe e frutos do mar. Se sentir que precisa de mais proteína (por exemplo, se for atleta), você pode comer frango ou peru em pequena quantidade, mas de modo geral seria bom evitar todas as carnes.

Frutas: Normalmente elas fazem muito bem, mas na fase de desintoxicação é melhor usá-las com parcimônia. É bom principalmente evitar frutas pesadas, como banana, abacate e a maioria dos sucos. Se comer frutas, prefira as adstringentes, como maçã, frutas cítricas, cranberry e romã.

Feijão: Embora contenham uma boa quantidade de fibras, os feijões podem provocar gases e inchaço. Sugiro também evitá-los na fase de desintoxicação, exceto o feijão-mungo. A lentilha e o feijão-mungo são menores e mais fáceis de digerir e provocam menos gases e inchaço do que os feijões maiores. Muitos pacientes em desintoxicação descobrem que a sopa de lentilha com muitos legumes se torna um item essencial para sua dieta, tornando-se até um prato reconfortante.

A maioria das gorduras: As gorduras ruins são difíceis de digerir e podem causar a formação de muco no organismo. É claro que isso inclui frituras, mas também manteiga, margarina, queijo e gorduras animais. Você pode ingerir uma pequena quantidade de óleos e azeites crus, prensados a frio e não processados e também *ghee* ou manteiga clarificada, que são opções saudáveis.

Açúcar: O açúcar branco é um dos alimentos mais tóxicos e deve ser evitado nessa dieta. Se precisar de um adoçante, use mel, mas não o aqueça nem cozinhe com ele. O mel é um alimento delicado, obtido a partir da essência de muitas plantas diferentes. Apesar de grudento, pesado e doce, o mel não inflama o organismo nem provoca muco. De forma bastante notável, tem efeito secante no corpo quando consumido à temperatura ambiente. No entanto, tudo muda se você cozinhar com ele. O calor degrada seu poder antioxidante e seu sabor. Portanto, não o utilize para cozinhar nem para assar.

Bebidas geladas: Você quer aumentar seu fogo digestivo, e as bebidas geladas causam o efeito oposto no organismo. Elas esfriam os ácidos digestivos no estômago e impactam o sistema. É melhor tomar líquidos à temperatura ambiente ou aquecidos. Água quente com limão ajuda a limpar o organismo enquanto você se desintoxica. Evite café; tome chá verde se precisar de cafeína.

Em vez de tentar uma dieta tamanho único, procure os princípios dietéticos adequados para o seu corpo. Quando acrescentar esses hábitos alimentares saudáveis a uma rotina de horários para comer e dormir favorável ao ritmo circadiano, você verá que manter o peso ideal ficará mais fácil do que nunca. Depois de abandonar as noites até tarde diante da TV e os lanchinhos noturnos e substituir esses hábitos por um café da manhã leve e nutritivo, um almoço mais substancioso e saudável e um jantar bem leve, você encontrará em sua vida fontes incríveis de energia e concentração.

O último fator de seu novo estilo de vida são os exercícios físicos, que descreverei no próximo capítulo. Não vou falar sobre passar longas horas na academia. Em vez disso, explicarei de que modo um regime sensato de exercícios diários complementará tudo o que você já conseguiu. Afinal de contas, o exercício é um meio fundamental de desintoxicar o corpo. Ele também promove uma alimentação saudável e um sono profundo e restaurador.

8

O EXERCÍCIO CERTO NA HORA CERTA

● ○ ◐ ●

Posso apostar que você sabe que os exercícios físicos lhe fazem bem, mesmo que às vezes fuja deles. O que provavelmente não sabe é que, no ayurveda, os exercícios são considerados um ritual sagrado diário e uma das maneiras mais poderosas de manter o corpo funcionando da maneira ideal. A palavra sânscrita para isso é *vyayama*, e muitos parágrafos seriam necessários para descrever suas nuances. Em resumo, significa melhorar a circulação e a comunicação por meio de movimentos específicos. Todos sabemos que o exercício melhora o sistema circulatório, fazendo o coração bombear e o pulmão trabalhar. Mas esse não é o único sistema do corpo que precisa que você esteja ativo.

Os vedas falam de cada sistema do corpo como um canal. O sistema digestivo é um canal oco pelo qual os nutrientes entram e passam pelo organismo. O sistema respiratório é outro canal para o oxigênio e o dióxido de carbono. O sistema linfático, o sistema nervoso e o sistema circulatório são canais pelos quais o corpo faz passar nutrientes, líquidos, sinais e resíduos. Seu corpo foi projetado para fazer todas essas coisas extraordinárias, mas precisa de uma ajudinha.

No decorrer de um dia, esses canais ficam grudentos, viscosos ou obstruídos. Esse bloqueio é um subproduto natural da vida diária, e, assim como é importante escovar os dentes para prevenir o acúmulo de tártaro, é essencial desobstruir os canais diariamente. Isso se faz usando o *prana*, que significa força vital, mas às vezes é traduzido como "fôlego". Com exercício e movimento, você respira profundamente e debloqueia os canais do corpo. A prática de exercícios é essencial porque provoca a respiração profunda e dá início a mudanças químicas e hormonais importantes de que você precisa para se manter saudável. Com ela, você melhora a comunicação entre os sistemas para que eles operem em harmonia.

O exercício também aquece o corpo, cria *agni* – ou "fogo" – e, portanto, atiça seu fogo digestivo. Ele lhe dá energia, clareza mental, paixão e um entusiasmo geral pela vida. Embora seja tentador pensar no exercício como algo para riscar na lista de tarefas, na verdade ele precisa se integrar à sua programação diária. Exercitar-se permite a reconfiguração emocional, melhora a energia e o humor e limpa o organismo.

A prática de atividades físicas se torna ainda mais importante com a rotina moderna, que deixa pouco tempo para o movimento. Para ir ao trabalho, as pessoas ficam sentadas em carros, ônibus ou trens; então passam o dia todo sentadas no escritório; e à noite sentam-se diante da televisão ou da tela do computador. É difícil ter um sono reparador se você não fez nada para cansar os músculos do corpo, e é impossível para o sistema digestivo movimentar-se com eficácia sem alguma atividade física para ajudar.

O ayurveda é a arte de conferir equilíbrio ao corpo. Se estiver com frio, você precisa trazer calor para balancear. Se estiver desidratado, precisa de líquidos e óleo para voltar à estabilidade. Se ficar sentado o dia todo e dormir a noite toda, precisa de movimento para restaurar o equilíbrio. E a melhor hora para esse primeiro surto intenso de movimento é pela manhã, depois de dormir de sete a oito horas.

O *prana* produz energia

No ayurveda, os dois órgãos mais importantes do corpo são o coração e o cérebro. Só o *prana*, a respiração, liga os dois. Quando respira fundo, você conecta de maneira instantânea o cérebro e o coração, e pode fazer isso agora mesmo. Inspire lenta e profundamente. Aprecie o momento. Inspire de novo, se quiser. É provável que sinta o estresse se desfazer um pouquinho. Respirações lentas e profundas são a pedra fundamental da meditação e da ioga, mas estão instantaneamente disponíveis até com o nível mais modesto de exercício.

O exercício consciente põe os problemas cotidianos em segundo plano enquanto reanima o coração e a mente. Existe algo mais imediatamente saudável do que isso? Por outro lado, a vida sedentária o leva a respirar apenas de modo superficial, e isso tensiona o coração e faz o cérebro passar fome.

Mas *prana* significa mais do que conectar-se com sua respiração ou respirar fundo. A palavra sânscrita também se refere à energia vital que sustenta a vida. Sem movimento diário, você deixa de fazer essas respirações profundas e esgota sua energia. Por estar desconectado de seu corpo, você nem nota. Acha que está fatigado ou entediado depois de passar o dia sentado, mas na verdade é mais do que isso.

Seu cérebro tem fome de oxigênio, assim como os tecidos do corpo. Eles ficam obstruídos, incapazes de funcionar. A baixa energia faz você tomar xícaras de café no decorrer do dia para fazer o cérebro funcionar. Essa não é apenas uma visão ayurvédica da energia. Pesquisas recentes mostram que até exercícios de baixa intensidade revertem os sintomas de fadiga geral, se você praticá-los diariamente.[1] Até uma breve caminhada toda manhã fará sua respiração funcionar melhor e trará *prana* para dentro de seu corpo. Ajudará você a dormir à noite e a sincronizar-se com o ritmo diário do corpo. Deixará você com fome para o café da manhã e lhe dará foco para o dia.

Em vez de uma sessão breve de exercício diário, muita gente tenta encaixar na semana duas ou três sessões de exercícios intensos, quando for mais conveniente. As diretrizes enfatizam quantos minutos de exercício por semana você deve praticar. Se for à academia duas ou três vezes por semana, talvez se pergunte por que nem sua cintura nem seu nível diário de energia mudam. Ao contrário, as sessões de exercícios mais longas podem esgotá-lo e deixá-lo exausto. Você terá menos energia e é mais provável que deixe de ir à academia nos dias estressantes, quando mais precisa se exercitar.

Um de meus pacientes é gestor de patrimônio e viaja pelo país duas vezes por mês a trabalho. Sabe que come demais e dorme pouco e, na tentativa de combater o baixo nível de energia e o tamanho da barriga, pratica exercícios extenuantes. Comprou uma bicicleta ergométrica e, duas ou três vezes por semana, entrava numa aula pela internet, e o instrutor, em outra cidade, o conduzia por uma sessão intensa de uma hora de pedaladas. Embora isso o ajudasse a reduzir um pouco a insatisfação e o fizesse suar bastante, esse exercício intenso não o fazia emagrecer. Também não curou a insônia, as dores de cabeça nem a disfunção sexual. Como não queria tomar nenhum comprimidinho azul, ele veio me consultar.

Embora houvesse alguns problemas em sua rotina, inclusive o jet lag crônico, as refeições tarde da noite e o trabalho noturno no computador, voltei-me primeiro para os horários dos exercícios, porque todos os seus problemas estavam concentrados na falta de energia. Quem está sobrecarregado e exausto tem insônia, pouca energia, irritabilidade e dor de cabeça. Quando a fadiga se torna extrema, surgem os problemas da função sexual. É preciso melhorar a circulação respirando profundamente e limpando os canais do corpo.

O meu lado terapeuta queria focar em colocá-lo em contato com seu corpo e com o modo como realmente se sentia enquanto comia e trabalhava, mas isso envolveria lhe pedir que meditasse ou verificasse o pulso, e eu sabia que ele não faria nada disso. O que ele poderia fazer era transformar o exercício matinal em um ponto essencial de sua programação diária. Como era de esperar, quando sugeri ao ocupado gestor que experimentasse uma aula de ioga pela manhã, na qual pudesse respirar profundamente, alongar os músculos e sentir o corpo que ignorava nas outras 23 horas do dia, ele reclamou. Toda a indústria da boa forma lhe dizia que, se não forçasse o corpo ao extremo em cada sessão, não faria exercício "de verdade".

Nenhum super-realizador gosta que lhe digam que faça menos, mas muitos de meus pacientes com esse tipo de mentalidade precisam seguir este conselho: a atividade física deve ser estimulante. Embora pareça um contrassenso, sessões diárias de exercícios físicos menos intensos aumentarão o nível de energia, e é fundamental que sejam praticados bem cedo, para que ajudem a dormir à noite. Se não faz exercício nenhum, você já sabe qual é o problema. É mais difícil saber quando você se exercita demais ou faz o tipo errado de exercício. Se não está obtendo todos os benefícios físicos e emocionais dos exercícios que faz, então eles não estão funcionando para você. Se sua rotina de exercícios não o ajuda a dormir à noite, não melhora seu humor nem lhe dá mais energia, há algo aí que precisa ser ajustado.

O gestor de patrimônio acabou experimentando praticar ioga duas vezes por semana e adorou praticar a respiração profunda. Eu lhe disse que era como uma meditação com o corpo, e ele gostou da ideia, porque se entediava com a meditação sentada tradicional. Estava tão acostumado à mentalidade da multitarefa que precisava de exercícios que também fossem uma meditação. Nos outros dias da semana, ele faz uma breve caminhada ou corre um pouco. E sua energia foi às alturas. Embora seja tentador pensar no exercício apenas como um meio de obter boa forma ou emagrecer, na verdade o grande ganho é nos sentirmos vivos dentro do próprio corpo.

A conexão circadiana

Já descrevi de que modo o sono (ou a falta dele) e os horários das refeições afetam o ritmo circadiano do corpo. Um terceiro mecanismo pelo qual o corpo sabe que horas são é a atividade. Quando está fisicamente ativo, o corpo supõe que é o período diurno. Essa é uma das razões pelas quais eu insisto em que as pessoas se levantem e façam algum exercício antes de comer ou de qualquer outra coisa. Isso dá ao corpo um sinal inequívoco de que o dia começou.

O exercício pela manhã também vai ajudá-lo a dormir à noite. Em alguns estudos, camundongos que praticam exercícios vão dormir mais cedo e acordam mais cedo do que os que não se exercitam. Até uma única sessão de exercício intenso pode mudar o ritmo circadiano do camundongo. As pesquisas com seres humanos não apresentam resultados tão radicais, mas é evidente que pessoas que se exercitam regularmente relatam menos dificuldade para adormecer.

Em um estudo, os participantes foram morar em instalações isoladas, para não terem ideia de que horas eram. A cada noite lhes diziam que tentassem ir dormir uns 20 minutos mais cedo do que na noite anterior. (Pense nisso como sofrer jet lag em intervalos curtos e diários.) Alguns foram instruídos a se exercitar, outros não. Depois de uns seis dias, os que se exercitavam estavam se adaptando muito mais depressa à mudança do ciclo do sono do que os que não se exercitavam.[2] A mudança acontecia dentro do cérebro, com uma produção mais alta de melatonina (o sonífero natural). O cérebro liberava a melatonina mais cedo, o que os tornava capazes de dormir mais cedo.

Mas agora é que fica interessante: pediu-se a esses participantes que se exercitassem em horas diferentes do dia. Os que se exercitaram à tarde ou à noite não tiveram a mesma mudança na produção de melatonina. Na verdade, o exercício intenso perto da hora de dormir retardou a produção da substância, dificultando que adormecessem com o apagar das luzes.[3] Acontece que se exercitar na hora errada confunde o regulador central do relógio circadiano do organismo, o que, por sua vez, confunde as células e os sistemas do corpo.

É importante saber disso se você gosta de ir à academia depois do expediente. Muita gente pensa no exercício como algo a espremer no fim do dia. Quem já teve que brigar por uma esteira depois do trabalho sabe que o horário mais movimentado da academia é das 18h às 20h. Em boa parte do ano ou o ano inteiro isso significa que você estará se exercitando depois do anoitecer, quando o corpo desacelera e se prepara para dormir. Essa atividade intensa pode deixá-lo alerta e superaquecido demais para o sono.

Recentemente, conheci uma mulher que parecia fazer tudo certo. Tinha 30 e poucos anos, adorava se exercitar e seguia uma alimentação que qualquer um invejaria. Praticara atividades físicas a vida inteira e dizia que precisava de sessões extenuantes para lidar com o estresse. Seu único problema era que não dormia à noite, apesar de uma rotina de sono cuidadosa e consistente.

Quando examinei seus horários com mais atenção, descobri que ela saía para a academia às 20h, ou seja, ela se exercitava na fase de repouso do corpo. Quando voltava para casa, o corpo estava totalmente desperto, ainda suado e, além de tudo, faminto. Ela sabia que não devia comer de novo depois do exercício e tentava ir direto para cama. Dada a estrutura de seu corpo, na verdade ela aproveitava muito bem seu exercício extenuante, mas ele lhe dava insônia a curto prazo e a deixava confusa e letárgica no dia seguinte. A insônia era algo novo para ela, e é possível que conseguisse manter essa rotina de exercícios aos 20 anos sem notar muita dificuldade para dormir; mas o corpo muda aos 30 anos e começa a ficar mais sensível às perturbações do sono. Quando passou a se levantar mais cedo e fazer logo seus exercícios intensos, ela programou seu corpo para ficar mais desperto no trabalho porém menos alerta e com menos fome no fim do dia.

O exercício matinal é especialmente benéfico para o ritmo circadiano à medida que envelhecemos. No fim dos 40 e início dos 50 anos, é preciso dar ao corpo sinais fortes pela manhã de que o dia começou para que você consiga dormir à noite. Isso compensará as mudanças hormonais da meia-idade que podem provocar insônia.

Um estudo recente examinou o efeito dos exercícios na redução do risco de câncer em mulheres mais velhas. Felizmente, os pesquisadores incluíram perguntas sobre como as participantes dormiam durante o estudo. É assim que sabemos que mulheres na pós-menopausa que faziam exercícios pela manhã se queixaram menos de insônia. Eram mulheres entre os 50 e os 75 anos. As que faziam 45 minutos de exercícios moderados pela manhã cinco vezes por semana dormiam melhor à noite. Até as que se restringiam a alongamentos leves pela manhã dormiam um pouco melhor à noite. As que se exercitavam à noite tinham mais problemas de insônia.[4] Ao se levantar cedo e se exercitar pela manhã, você terá mais facilidade para relaxar na hora de dormir.

Os genes do relógio e o metabolismo

As pesquisas mais recentes estão investigando o interior das células dos músculos esqueléticos para descobrir o que eles fazem durante atividades físicas intensas. Quando você pratica exercícios de baixa intensidade, como um passeio agradável pelo quarteirão, seus músculos usam oxigênio como combustível. Se começar a correr, você vai ofegar porque seus músculos estão consumindo a reserva de oxigênio. Quando isso acontece, eles passam a usar o açúcar disponível como combustível para continuar trabalhando. Os cientistas que examinam essas mudanças metabólicas constataram que os músculos esqueléticos contêm genes do relógio, como todas as outras células. Na verdade, os genes do relógio estão mais envolvidos no metabolismo do que você pensa. São eles que sinalizam para a célula que ela passe de queimar oxigênio para queimar açúcar durante o exercício.⁵

Lembre-se de que seus genes do relógio avisam as células para fazerem uma coisa durante o dia e outra à noite. Assim, os músculos têm uma capacidade variável de se adaptar ao exercício e de usar a energia no decorrer das 24 horas do dia, como todos os outros sistemas do corpo.

As células musculares são mais eficientes nas horas diurnas, o que significa que conseguem se contrair melhor e fazer essa mudança metabólica do oxigênio para o açúcar. É por isso que, quando praticados no início do dia, os exercícios intensos são mais benéficos para o metabolismo como um todo e podem ajudar a controlar a glicemia. Na verdade, essa pesquisa indica por que a falta total de exercícios tem consequências metabólicas tão graves. O exercício é um meio tão confiável de controlar a glicemia que talvez venhamos a constatar que a vida sedentária é o fator de risco primário para o diabetes tipo 2.

No entanto, os exercícios pela manhã podem oferecer um benefício ainda maior. No Capítulo 2, falei de um estudo que mostrou que os participantes podiam reverter o efeito da alimentação rica em gordura exercitando-se antes do café da manhã. De forma quase milagrosa, eles não engordavam quando se exercitavam antes da primeira refeição, mas quando se exercitavam mais tarde, depois de uma ou duas refeições, eles engordavam. Essa nova pesquisa sobre os genes do relógio e como eles afetam o metabolismo talvez ofereça uma pista. Quando você se exercita antes do café da manhã, movimenta o corpo ainda em jejum. Assim, quando se exercita o suficiente para fazer os músculos passarem de queimar oxigênio para queimar açúcar, seu sangue terá menos açúcar disponível para alimentá-los. Em consequência, o corpo é forçado a usar as reservas de gordura.

A boa notícia é que você não precisa de muito exercício intenso antes do café da manhã para obter esse resultado. Bastam 20 a 25 minutos para o truque dar certo. Pode ser na esteira, pode ser ao ar livre. Se não tiver o costume de praticar exercícios, experimente o treino intervalado, no qual você anda o mais depressa possível durante um minuto e num ritmo mais tranquilo por dois minutos. Ou pode correr e alternar com a caminhada. Também pode se exercitar num simulador de remada com intensidade maior e menor. Não precisa exagerar. A meta é manter um surto de movimento intenso até sua respiração mudar. No momento em que sentir que precisa respirar pela boca, desacelere para o período de recuperação com menos atividade. Ofegar e se forçar na esteira por muito tempo não é exercício de verdade; só causa estresse no corpo. O bom é trabalhar numa explosão no limite de sua capacidade e depois se recuperar. Ao fazer isso, você terá uns 7 minutos de exercício intenso numa sessão de 25 minutos. É o bastante para realizar as mudanças metabólicas de que precisa e para melhorar sua forma física dia após dia.

O que estamos procurando é a dose mínima de exercício eficaz para você e seu corpo. Falarei mais sobre o exercício certo para seu tipo corporal no próximo capítulo – como agora você já sabe, nem todo corpo precisa exatamente do mesmo tipo de exercício –, mas há algumas dicas universais para ajudá-lo a sincronizar seu ritmo circadiano e provocar essas mudanças metabólicas que o ajudarão a regular seu peso. Muitos pacientes meus passam a adorar esses exercícios feitos bem cedo por serem mais fáceis do que todos os treinos que já experimentaram e porque os despertam mais do que uma xícara de café. O objetivo é se levantar cedo e fazer algo que abra os canais, que faça você respirar profundamente e suar um pouquinho.

De quanto exercício diário preciso?

Essa é uma pergunta difícil de responder porque muita gente pensa no exercício como uma atividade formal. Você veste uma roupa especial e vai a uma aula ou à academia; depois volta para casa, toma um banho e troca de roupa outra vez. No ayurveda, porém, exercício é o que fazemos sempre que mexemos o corpo. Pode ser varrendo a casa, cortando a grama, dando um passeio depois do jantar ou brincando de pique no quintal. Todas essas atividades movimentam o corpo e abrem seus canais. E você pode fazer essas coisas a qualquer hora do dia.

Se você tem um pedômetro e, de repente, ficou obcecado com a contagem diária de passos, adotou a visão ayurvédica do movimento. Tudo se soma. O corpo precisa de ciclos de atividade e repouso, e essa é uma razão pela qual uma sessão intensa de exercício matinal é tão importante. Ela inicia o ciclo de atividade e repouso logo de manhã cedo. Seu corpo irá impelir você a se pôr de pé e se mexer no decorrer do dia, por isso é bom se levantar a intervalos regulares para dar uma caminhada curta, subir uma escada ou fazer alguns alongamentos leves. No total, você precisa de uma hora desses movimentos todos os dias. A maioria das pessoas nem pensa em quanto movem o corpo em relação ao tempo que passam sentadas.

Um relatório recente compilou dados de 16 estudos sobre o efeito dos exercícios sobre a longevidade, com resultados fascinantes. Um milhão de participantes foram divididos em grupos com base na quantidade de exercício que faziam. Os que eram ativos durante 60 minutos por dia reverteram completamente o efeito da vida sedentária e viveram bem mais do que quem fazia pouco ou nenhum exercício.[6] Mas o interessante foi que esses participantes mais ativos não iam necessariamente à academia nem faziam aulas de alguma atividade física intensa todo dia. Na verdade, eles nem sempre suavam muito. O exercício moderado incluía caminhar numa velocidade de cerca de 5,5 km/h, um ritmo bastante acessível. Ou pedalar a 16 km/h. O benefício vinha simplesmente de mexer o corpo. Não está claro no estudo se os participantes faziam todo esse exercício de uma vez. Segundo minha experiência, as pessoas que dão um jeito de se manter naturalmente ativas, andando, praticando ioga e fazendo outros exercícios leves todos os dias, têm mais condições de envelhecer bem e viver mais.

Se quiser monitorar por conta própria quanto você se movimenta num dia, anote o que faz antes do café da manhã e registre quantas vezes se levanta e se mexe durante o dia. Passar o dia todo sentado vai deixá-lo letárgico. Talvez sua atenção flutue e sua energia caia no meio da manhã e no meio da tarde. É aí que muita gente corre para a cafeteira ou faz um lanchinho calórico para aumentar a energia em queda. Mas o que o seu corpo está pedindo é movimento. Por isso você sente sono ou dor. Veja esses anseios emocionais como o alerta que realmente são. Levante-se e desça a escada. Dê uma volta no quarteirão. Você pode fazer alguns exercícios simples em sua mesa para ter aquelas respirações profundas de que seu corpo precisa. Lembre-se de que o *prana* aumenta a energia. Ao longo do dia, cabe a você mexer o corpo e provocar a respiração profunda que ele tanto deseja.

Fazer mais exercícios aeróbicos é melhor, certo?

Se você só pensa em exercícios em termos de minutos na esteira, talvez se pergunte se deveria fazer o máximo possível para obter mais resultados. Os pesquisadores também se perguntam isso. Se um pouco é bom, então mais deve ser melhor. Na verdade, há um mito popular de que você tem que fazer uma hora de aeróbica por dia para emagrecer. Mas isso foi questionado em um estudo recente realizado com homens acima do peso, porém saudáveis, que não faziam atividade física. Pediu-se a um grupo que se exercitasse meia hora por dia com intensidade suficiente para suar. O segundo grupo se exercitou intensamente durante uma hora inteira todos os dias. No fim, os dois grupos perderam peso, mas os que fizeram sessões mais curtas perderam um pouco mais do que quem passou uma hora inteira na esteira.[7]

Os pesquisadores não conseguiam explicar esse resultado. Esperavam que o exercício mais intenso trouxesse mais benefícios, embora fossem inteligentes o bastante para supor que provavelmente não traria o dobro de benefícios. Em vez disso, descobriram que, na verdade, era um pouco menos eficaz gastar o dobro de tempo e energia com exercícios intensos. Eles especularam que quem fez exercícios mais intensos talvez tenha comido mais durante o dia, por ter queimado aquele número de calorias. É possível. Mas sei que os recém-motivados costumam se forçar além do ponto em que o exercício os reanima. Eles malham até ficar exaustos e letárgicos. Em vez de ter sistemas que se comunicam abertamente, têm sistemas em crise. O corpo deles precisa conservar energia durante horas depois disso. Se você volta da academia se sentindo esgotado e derrotado, talvez não esteja fazendo a si mesmo tanto bem quanto imagina.

A conclusão é que uma sessão diária mais curta de exercício intenso pode ser melhor, mas provavelmente você não precisa de tanto quanto pensa. Meia hora deve ser suficiente, desde que você complemente esse tempo com mais movimento ao longo do dia. O problema com a maioria das rotinas de exercício é que elas tendem a ser uma proposta do tipo tudo ou nada. Você decide ficar em forma, entra numa academia e malha com afinco até que, aos poucos, surgem conflitos de horário e você pula algumas sessões. Em algum momento, deixa totalmente de ir. Semanas ou meses depois, você repete o processo. Milhões de matrículas em academias definham dessa maneira. Na verdade, os donos de academia contam com centenas de novas matrículas todo mês de janeiro, sabendo que essas pessoas se exercitam por algumas semanas ou meses e depois nunca mais aparecem.

De acordo com a maioria das orientações, as pessoas precisam de duas horas e meia a quatro horas de exercício por semana. Se dividir esse total para saber o período diário, teremos 20 a 35 minutos por dia. Algumas pessoas praticam todo o exercício nos fins de semana para atingir essa meta. Levam a vida sedentária habitual nos dias úteis e fazem várias aulas no fim de semana, além de corridas e ciclismo. Depois não entendem por que essas atividades não diminuem a barriga nem aumentam seu nível de energia. Maratonar sessões de exercício não compensa os dias perdidos. Em vez disso, põe você no caminho da exaustão e das lesões por excesso de esforço.

Para a maioria, é difícil iniciar e manter uma rotina de exercícios. O truque é fazer um pouco todos os dias, mesmo que seja menos do que fazia antes. Se não se exercita há muitos anos, comece caminhando rapidamente toda manhã, mesmo que só por 10 a 15 minutos. Se der um passeio mais leve depois do almoço e outro depois do jantar, terá mexido o corpo durante 30 a 45 minutos por dia. Com isso, desobstruirá seu sistema toda manhã. Irá respirar profundamente e limpar a mente. Tenho pacientes que começaram a nova rotina de exercício com algumas posturas de ioga pela manhã e pronto. Minha esposa gosta de caminhar na praia cedinho. Ela tentou ir à academia todo dia, mas ficou exausta. Uma caminhada diária num lugar bonito é tudo de que ela precisa para ficar centrada e energizada o dia inteiro.

Quando começar um novo programa de exercícios, faça o que puder toda manhã. Aos poucos, você pode aumentar a intensidade e colher ainda mais benefícios do trabalho extenuante. Acrescente alguns exercícios isométricos aos alongamentos. Corra um pouquinho. Ainda poderá frequentar suas aulas favoritas no fim de semana, mas não pensará mais nisso como compensação pelo tempo perdido. O segredo é a consistência. Some a isso um pouco de exercício ao longo do dia. Serviço doméstico leve e jardinagem contam como movimento. Aconselhei um casal a dar uma breve caminhada depois do jantar toda noite em vez de assistir à TV. Logo essa se tornou sua hora favorita do dia, um momento em que podiam se reconectar com o próprio corpo e um com o outro.

Como arranjar tempo para exercícios matinais?

Ouço essa pergunta quase todo dia. As pessoas dão muitas boas razões para não se levantar um pouco mais cedo e se exercitar logo em seguida. As crianças precisam de ajuda para ir à escola. A viagem até o trabalho é longa. O bebê está dormindo. Chove ou faz muito frio em boa parte do ano. É uma trabalheira vestir as roupas de ginástica, pegar o carro e ir à academia...

E é verdade que a maioria pensa em ir à academia como um evento de muitas horas: trocar de roupa, dirigir, malhar e depois fazer tudo de novo na ordem inversa. Mas lembre-se: o exercício energizante que promove o *prana* não precisa de tamanha produção. Uma breve caminhada pela manhã nos dias em que puder e, nos demais, algum outro jeito de conseguir uma sessão rápida de exercício intenso – como pular corda ou fazer alguns exercícios isométricos em casa – também serve. Talvez no começo você precise ser criativo, mas o benefício para a saúde é imenso, principalmente para o relógio biológico central. Você pode arranjar algum aparelho para fazer exercícios, como uma esteira ou uma bicicleta ergométrica que fique no canto de um cômodo. Exercite-se nele durante 20 minutos pela manhã (pode até fazer isso de pijama, se quiser). É revigorante.

Se você tiver múltiplos problemas de saúde, como sobrepeso, insônia, pouca energia e má alimentação, precisará se exercitar todos os dias. Nada revigora seu corpo mais depressa do que o exercício diário. Ele mudará sua vida.

Algumas pessoas gostam de dizer que a meditação é o segredo do gerenciamento do estresse e das escolhas de saúde ponderadas. Concordo. Mas, se você está 10 quilos acima do peso ideal e se senta para meditar de manhã, em dois minutos estará roncando. (É por isso que as saudações ao sol ou as respirações profundas são geralmente aconselhadas como prelúdio à meditação, para que você desperte o corpo antes de limpar a mente.)

Outras pessoas dizem que as escolhas alimentares são o segredo para emagrecer. Novamente, concordo. Mas, se você sente seu corpo pesado e apático, precisará de uma força hercúlea para comer direito o dia todo. O exercício alinha-o rapidamente com seus ciclos de sono e vigília e produz energia no corpo, melhorando o ânimo e abrindo os canais, para que você possa fazer escolhas alimentares mais saudáveis durante o dia. Você também terá sessões de meditação mais profundas e significativas caso se exercite antes.

ENVELHECIMENTO E EXERCÍCIO

A resposta do corpo à atividade física muda com a idade. Mas isso não significa que você deva parar de se exercitar depois dos 50 ou 60. Longe disso. Enquanto passa pela meia-idade, o ritmo circadiano natural do corpo começa a enfraquecer, e é aí que você mais precisa de exercícios para lhe dar um empurrãozinho.

À medida que você envelhece, é bom atentar para o nível de inflamação do organismo. Dores crônicas podem ser sintoma de inflamação no corpo inteiro. Quando pessoas ativas me procuram dizendo que têm problemas nas articulações, logo quero saber seu nível de atividade física. Se não fazem exercício algum, estão se predispondo às dores relacionadas à idade. E, se fazem exercícios intensos demais, provavelmente lidam com a dor da inflamação sistêmica. O equilíbrio é complicado, e insisto em que você preste atenção em como se sente enquanto se exercita e depois, mesmo que goste das sessões.

Uma mulher veio me consultar há alguns anos porque tomava muitos analgésicos para a dor nos joelhos. Jogara tênis a vida inteira e ainda competia em nível bastante alto aos 61 anos. Treinava duas vezes por semana e competia uma vez por semana, o que é extraordinário. Infelizmente, começara a tomar ibuprofeno com regularidade, tanto antes quanto depois dos jogos, por causa da dor nos joelhos. A inflamação do corpo se instalara neles. Era onde ela sentia dor, mas na verdade aquilo afetava o organismo todo.

Os analgésicos vendidos sem receita prejudicam o sistema digestivo e o fígado, e é comum provocarem indigestão e azia, e isso sem curar o problema. Se você sente alguma dor ligada aos exercícios, é preciso espaçar as sessões intensas e se concentrar em exercícios de baixo impacto enquanto o corpo se recupera. Talvez necessite de vários dias para se recuperar depois de uma competição ou de exercícios intensos. Também é bom reduzir o calor do corpo tomando banho frio. O calor duradouro pós-exercício contribui para a inflamação. Você pode tomar seu banho de sempre e terminar com água fria nos últimos minutos.

Caso sinta qualquer tipo de dor nas articulações, também é interessante repensar a alimentação. Ela é outro marcador importante de inflamações. Considere restringir molhos pesados, pratos apimentados e sódio para eliminar o calor do organismo. Uma alimentação leve e limpa, com proteínas magras, muitos legumes e verduras e alguns grãos e cereais integrais, reduzirá as toxinas e resfriará seu corpo de dentro para fora.

Quem compete precisa de uma refeição especialmente limpa pouco antes e logo depois de qualquer competição. Isso serve para qualquer atleta, não só os que têm mais de 60 anos. É bom ter combustível limpo no organismo antes e depois de forçá-lo a extremos. Com o tempo, minha paciente conseguiu tomar menos analgésicos e ainda gozar de alto nível competitivo. Considero-a um exemplo da melhor maneira de envelhecer bem fazendo tudo de que gosta.

Nos textos védicos, há uma antiga história sobre um rei que engordou muito. Comia pratos substanciais em excesso e se sentia letárgico demais para governar. Não tinha energia e não conseguia se concentrar. Ele convocou seu médico ayurvédico pessoal para diagnosticar a doença e lhe proporcionar a cura. O médico o examinou e lhe disse que tirasse a coroa e saísse do palácio. O rei teria que morar numa aldeia distante. Deveria viver como os aldeões, comer o que comiam e fazer o que faziam o dia inteiro. O médico lhe disse: "Se o senhor viver três meses assim, poderá voltar e ser rei."

Incrivelmente, o rei concordou. Passou três meses ingerindo comida simples e cavando poços o dia todo; quando voltou, recuperara o antigo vigor físico. Esse duro período sabático provavelmente também lhe conferiu um novo ponto de vista muito necessário sobre seus antigos hábitos.

É claro que não vou mandar ninguém morar numa cabana e cavar poços o dia todo. Mas costumo dizer às pessoas que, se mudarem seus horários para pôr as necessidades do corpo em primeiro lugar, sua vida mudará. O exercício é uma das necessidades básicas do corpo. É um pilar da boa saúde, porque une o cérebro e o coração. Ele mantém o metabolismo em pleno funcionamento. E a verdade é que a vida moderna é bem parecida com a de um rei de antigamente: excesso de alimentos substanciais e muito tempo parado dentro do palácio.

No próximo capítulo, falarei sobre como encontrar o melhor exercício para o seu tipo de corpo. Munido desse conselho, você poderá se levantar e se mexer como manda a natureza.

9

O EXERCÍCIO CERTO PARA VOCÊ

● ○ ◐ ●

Quando falam em exercícios, as pessoas costumam pensar em termos de construir músculos ou emagrecer. Muita gente conta os minutos na esteira ou marca hora na academia como se fosse uma punição pelos maus hábitos alimentares. Exercício é muito mais do que isso. É a oportunidade de fazer uma respiração completa, de trabalhar e aumentar os músculos e de queimar gordura, se você praticar na hora certa. Mas também há o risco de desenvolver lesões ou inflamações caso as rotinas de exercícios sejam intensas demais para o seu tipo de corpo.

Uma de minhas pacientes trabalha em um banco e passa muitas horas no escritório; são tantas reuniões durante o dia que exercitar-se ficou impossível para ela. Em nossa primeira consulta, ela me disse que detesta malhar, mas se forçava a fazer longas sessões de treinos no fim de semana para tentar se manter em forma e emagrecer. Tive que lhe dizer que este é o grande mito do exercício: achar que se emagrece só malhando. Na verdade, provavelmente você gasta mais energia numa boa noite de sono do que na academia. Ela se espantou. "Então posso parar?", perguntou ela. Bom... não. Não totalmente.

Todos precisamos de atividade física todo dia, mas nem todos necessitamos da mesma quantidade ou do mesmo nível de intensidade. Além disso, algumas pessoas se dão melhor em aulas em grupo, onde podem socializar e manter a concentração. Outras precisam de caminhadas ou corridas a sós para clarear a mente. Alguns indivíduos necessitam de competição ou um alto nível de esforço, mas são exceções. Nenhuma tendência é melhor do que outra. A pergunta é: de que tipo de exercício você precisa? Só quando conhece seu tipo de corpo e sabe como reage física e mentalmente aos exercícios você pode escolher o programa certo para você.

Para descobrir como seu corpo responde aos exercícios, faça este teste rápido. O que queremos analisar é a sua reação natural à atividade física, segundo sua experiência. Para cada uma destas perguntas, encontre a opção que descreve melhor a sua realidade:

1. Quando era adolescente, quanto exercício você praticava?
   a. Fiz algumas aulas de dança, mas nenhum exercício formal. Corria de um lado para outro fazendo outras coisas.
   b. Adorava esportes de equipe. Estava sempre ao ar livre, praticando algum jogo.
   c. Eu não era lá muito ativo. Gostava de socializar, ler ou sair com os amigos.

2. Se praticava esportes quando criança, de que você mais gostava?
   a. Todo jogo era diferente e interessante. Gostava de bater papo durante a disputa.
   b. Adorava ganhar e ver até que ponto conseguia me forçar para vencer.
   c. Eu gostava do aspecto social. Era uma ótima maneira de estar com outras pessoas, e depois sempre tinha um lanchinho.

3. Quanto tempo você reserva para se exercitar toda semana?
   a. Varia de uma semana para outra, dependendo da minha motivação.
   b. Gosto de seguir um horário regular, pelo menos três vezes por semana.
   c. Não estou nessa onda de me exercitar.

4. O que o impede de frequentar a academia regularmente?
   a. Fico entediado na academia e nem sempre estou no clima.

b. Encontrei um jeito de fazer exercícios mais intensos de outra maneira, como ciclismo de longa distância, corridas ou competições.

c. Fico envergonhado naquele ambiente porque não gosto da aparência do meu corpo.

5. Quando vai à academia, o que mais o irrita?

a. Preciso ouvir música, ter algo para ler ou alguém com quem conversar, senão perco o interesse.

b. Alguém usando o aparelho que desejo usar. Não quero que nada atrapalhe meu ritmo.

c. Estar cercado de pessoas obcecadas pelo corpo e pela forma física.

6. Quando tentou se exercitar no passado, o que o atrapalhou?

a. Quando os treinos caem na rotina, começo a faltar.

b. Os prazos no trabalho são a única coisa que me atrapalha.

c. Perco a motivação de ir à academia se houver qualquer outra coisa que prefira fazer.

7. O que você usa para acompanhar seu progresso?

a. Não gosto de acompanhar quilômetros, repetições, essas coisas, então conto o número de dias que vou à academia ou o número de aulas que faço por semana.

b. Preciso registrar meu progresso. Uso um caderno para anotar repetições, quilômetros percorridos, etc. Gosto de competir comigo mesmo.

c. Não quero ter que acompanhar meu progresso. Isso soa obsessivo.

8. Se já fez aulas de alguma atividade física, como foi sua experiência?

a. Fazer aulas é muito mais fácil do que montar uma série por conta própria. Não me importo que me digam o que fazer e sei quando acaba.

b. Não gosto que me digam o que fazer. Não faz sentido para mim me exercitar em grupo, com todo mundo tendo que fazer a mesma coisa.

c. Evito aulas em grupo porque não quero me comparar com os outros.

9. **Se já experimentou algum programa intenso de exercícios, teve algum problema?**
   a. Sim. Exercícios intensos são ótimos até eu sofrer uma lesão. Aí tenho que ficar meses sem treinar.
   b. Não. Quanto mais intenso, melhor. Se eu não estou me esforçando, não está funcionando.
   c. Sim. É rápido demais para mim e não consigo acompanhar.

10. **Quando pratica exercícios mais intensos do que de costume, como se sente depois?**
    a. Exausto e esgotado. Preciso de um cochilo.
    b. Eles reequilibram minhas emoções e reduzem minha raiva e minha frustração.
    c. Eu me sinto mais leve e mais concentrado.

11. **O que há em sua rotina diária que atrapalha os exercícios regulares?**
    a. Como já tenho muitos compromissos, os exercícios vão ficando para o final na minha lista de tarefas.
    b. Os exercícios são sempre uma prioridade. Prefiro me exercitar a almoçar.
    c. O problema não é o horário, é a motivação.

12. **Quando tem que pular as sessões de exercícios por alguns dias, como se sente?**
    a. Nada diferente. Infelizmente, isso facilita abrir mão deles.
    b. Frustrado e com medo de perder meu nível de forma física.
    c. Pesado e apático, principalmente de manhã. Eu me sinto inchado.

13. **Se passar da hora normal de se exercitar, o que você faz?**
    a. Deixo para mais tarde. Se não tiver tempo até o fim do dia, deixo pra lá.
    b. Quero me exercitar mesmo que seja tarde, então às vezes vou à academia à noite.
    c. Se não conseguir me motivar na hora de sempre, simplesmente não vou à academia. Não finjo que irei depois.

14. Você pensa nos exercícios como sua principal ferramenta para emagrecer?

   a. Sim, mas não preciso perder muito peso.

   b. Sim. Sei que posso comer mais se frequentar a academia.

   c. Não, mas sei que deveria me exercitar mais se quisesse emagrecer.

15. O melhor tipo de exercício é aquele em que:

   a. Fico energizado mas não exausto.

   b. Suo e me esforço o suficiente para saber que estou ficando em forma e bem tonificado.

   c. Deixo de me sentir relutante e passo a sentir que realizei alguma coisa.

16. O que mais o preocupa quando começa um novo programa de exercícios é:

   a. Terei que enfrentar alguma dor incômoda ou sofrer uma lesão?

   b. Será intenso a ponto de produzir resultados?

   c. Vou me sentir motivado a ponto de continuar?

17. Como você descreveria seu tipo físico?

   a. Naturalmente baixo ou magro, com ossos menores nos pulsos e tornozelos.

   b. Ossos fortes e bom tônus muscular.

   c. Robusto, com ossos grandes.

18. Quando o elogiam por qualidades admiráveis, dizem que você é:

   a. Criativo e intuitivo.

   b. Intensamente focado, com visão realista.

   c. Calmo e um ótimo ouvinte.

19. Quando criticam sua natureza, mesmo que de forma injusta, as pessoas dizem que:

   a. Não termino o que começo.

   b. Não aceito erros.

   c. Não consigo tomar decisões.

TOTAL: A: _____ B: _____ C: _____

Para saber sua pontuação, some as respostas. Se a resposta à maioria das perguntas foi A, você é um praticante variável. Se suas respostas foram principalmente B, você é um praticante forte. E se respondeu mais C, eu diria que você é um praticante leve.

Praticantes variáveis

Se você respondeu A à maioria das perguntas, é um clássico praticante variável: alguém que quer estar em forma, mas geralmente acha que algo atrapalha. Em termos ayurvédicos, você é do tipo *vata*, uma massa giratória e mutável de ambições, planos e impulsos contraditórios, como o ar. Na verdade, você queima a maior parte de sua energia remexendo em tudo, falando e correndo de uma tarefa a outra. É como se equilibrasse muitos pratos, confiando em sua criatividade e sua intuição naturais para mantê-los todos no ar. Como consequência, provavelmente se exercita em ciclos. Encontrou rotinas ou modalidades de exercício que deram certo durante algumas semanas ou meses; e quando se entedia ou sofre uma lesão, você deixa de se exercitar.

Quando era mais jovem, talvez tenha achado que a dança era uma ótima solução física, porque você podia frequentar aulas e fazer uma atividade que também era criativa. Já na casa dos 20 e dos 30 anos, treinar para uma corrida de rua pode ter atraído sua atenção, porque havia uma meta a cumprir. Se eu pudesse observá-lo na academia, veria alguém que escuta música ou lê um livro enquanto olha telas de TV no alto. Você faria qualquer coisa para acabar com o tédio de andar na esteira ou de contar repetições num aparelho. A monotonia é seu principal desafio na hora de se exercitar, e você precisa de exercícios que envolvam a mente junto com o corpo.

Manter a prática de exercícios às vezes também é difícil por causa de seu nível variável de disposição. Sua energia é como o vento: vem em grandes lufadas e some sem aviso. Os praticantes variáveis que se dedicam a sessões intensas de exercícios podem ficar esgotados e emocionalmente exauridos depois. Embora outros tipos de corpo possam se energizar com exercícios intensos, você tende a se desgastar e talvez precise de 90 minutos ou mais para reconstruir a energia necessária para se concentrar em outras metas. Essa é mais uma razão pela qual os praticantes variáveis sentem que, às vezes, a atividade física suga sua energia e atrapalha sua agenda.

Quando pratica exercícios demais, você paga um preço depois. Também corre o risco de lesões. Se já teve lesões incômodas no passado, provavelmente está fazendo exercícios em excesso. Suas articulações secas podem doer e se inflamar, principalmente se você não ingere óleos saudáveis em quantidade suficiente com a alimentação.

A boa notícia é que, com esse tipo de corpo, você não precisa de exercícios puxados para entrar em forma ou mantê-la. Desde que faça o suficiente para respirar com profundidade, acelerar o ritmo cardíaco e mover o corpo todo, está tudo bem. As pessoas com esse tipo de corpo às vezes têm dificuldade quando contratam personal trainers exigentes demais. Muitos programas fitness são projetados para pessoas com um tipo de corpo muito específico e grande afinidade pelo esforço e pelo suor. Essas coisas são um tônico para alguns tipos de corpo, mas não para o seu.

Eis as orientações que dou às pessoas com esse tipo de corpo:

MANTENHA-SE MENTALMENTE ENVOLVIDO COM SEU EXERCÍCIO. Você precisa encontrar atividades que envolvam a mente e o corpo. Provavelmente, isso significa uma aula em que você possa se mover com a música ou seguir instruções. A ioga também é uma ótima opção, porque acalma os pensamentos acelerados e aprofunda a conexão mente-corpo. Por outro lado, ler e assistir à TV na esteira é uma má ideia, porque você não está prestando atenção em como seu corpo se sente durante a atividade. Isso o faz correr um risco maior de lesão e exaustão. Em vez disso, encontre um programa variável que não seja intenso demais. Você pode caminhar ou praticar exercícios isométricos em alguns dias, fazer uma aula de ioga ou dança em outros e descansar nos restantes. A variação é o segredo da motivação.

COMECE O DIA MALHANDO. Recomendo a todo mundo que se exercite antes do café da manhã, mas cada um precisa fazer isso por razões diferentes. Como *vata*, você necessita de estrutura em seu dia. Precisa de uma programação diária para atingir suas metas. Os praticantes variáveis tendem a adiar essa tarefa importante, mas, se a puser em primeiro lugar, você a transformará em prioridade. Encontre algo que possa fazer todo dia e faça todo dia. Além disso, você pode achar que acorda facilmente pela manhã, mas, na verdade, sua mente é um emaranhado de metas conflitantes. O exercício matinal é um tipo de meditação. Aquela respiração profunda e o leve suor vão alinhar sua mente e seu corpo. Você conseguirá se concentrar com mais facilidade no trabalho se já tiver feito algum exercício.

MENOS É MAIS. Procure exercícios de enraizamento ou *grounding* que aumentem a flexibilidade num ritmo mais tranquilo. Isso inclui ioga, Pilates, tai chi, caminhar, fazer trilhas ou pedalar. Não se preocupe em suar ou se cansar muito. Se fizer exercícios mais rigorosos, é importante verificar como se sente durante e depois de cada sessão. O ideal seria se sentir calmo e energizado durante e depois de sua rotina de exercícios. Caso se sinta desorientado, esgotado ou tenha cãibras musculares, provavelmente você exagerou. O treino intervalado é ótimo para esse tipo de corpo porque requer períodos rápidos de alta intensidade seguidos por outros de descanso muito mais longos. Não é bom para você passar grande parte da sessão de exercícios se esforçando ou ofegando. Se fizer isso, deixará seu corpo sob estresse elevado, e isso é o oposto da boa forma.

RESERVE TEMPO PARA SE AQUECER. Outros tipos de corpo podem entrar numa rotina intensa com o mínimo de aquecimento, mas você não. É preciso se alongar e passar algum tempo fazendo respirações profundas no início de uma sessão de exercícios. Isso é ainda mais importante no inverno, quando os praticantes variáveis sofrem com os calafrios e a má circulação que mantém frios seus pés e suas mãos. Faça bastante alongamento e pelo menos 5 a 10 minutos de caminhada ou corrida leves para aumentar a circulação e fazer o pulmão trabalhar antes de começar para valer.

Hidrate-se o dia todo. Esse tipo de corpo é muito propenso à desidratação, em parte porque você passa o dia inteiro correndo de um lado para outro. Provavelmente, também se esquece de comer e beber quando se envolve numa atividade. Durante e depois dos exercícios, a desidratação pode aumentar muito, e é bom beber água antes, durante e depois. Você também precisa aumentar a ingestão de óleos naturais, comendo mais nozes, castanhas e sementes. Isso será ainda mais necessário quando passar dos 40 anos. Você não corre o risco de engordar. Ao contrário, vai lubrificar suas articulações e deixar sua pele radiante. Trabalhei muitas vezes com praticantes variáveis que não conseguem entender por que não têm energia, mas quando vejo seus exercícios intensos e a alimentação sem gordura identifico o problema na hora. Se estiver sofrendo de fadiga depois de aumentar sua rotina de exercícios, a causa provável é a desidratação.

LESÕES POR TIPO DE CORPO

Conhecer seu tipo de corpo ajuda a evitar lesões na hora de se exercitar. Cada tipo responderá ao esforço de um jeito diferente.

Vata: Você tem a compleição naturalmente esguia, com ossos pequenos, músculos delgados e ligamentos que tendem a ser secos. A atividade física ajudará a definir seus músculos e fortalecer seus ossos. Exercícios intensos demais farão seus ossos rangerem. Você sabe que praticou em excesso quando joelhos, tornozelos ou ombros fazem um som de esmagamento ao se moverem. *Hot yoga* avançado ou CrossFit podem deixá-lo esgotado, com o corpo em crise. Não queira participar de nenhum tipo de aula ou programa competitivo ou que o force demais, porque você pode distender facilmente os músculos e romper ligamentos. Todos aqueles vídeos para atletas extremos são um desastre para o seu corpo. Evite personal trainers que recomendem que você se force apesar da dor ou que sinta o músculo queimar, porque eles não entendem seu tipo de corpo nem suas metas de boa forma. Isso vale ainda mais para quem já passou dos 40. Exercícios suaves e com consciência plena, essa é a meta.

PITTA: Você tem músculos e ossos fortes e um grande impulso competitivo. Precisa de exercícios intensos porque eles lhe dão equilíbrio emocional. Seu problema é que o calor do corpo inflama facilmente os tecidos e as articulações. Você costuma se forçar mesmo com dor para terminar uma sessão de exercícios ou um jogo, e isso pode provocar lesões. Se não estiver conectado com seu corpo durante o exercício, não saberá que está machucado antes que ele acabe. Depois da sessão, sentirá dor insistente em áreas que não parecem ligadas ao exercício, como as costas. Você só terá noção de que está exagerando quando desenvolver dependência de medicamentos anti-inflamatórios. Se assim for, é porque está deixando de resfriar adequadamente o corpo entre as sessões de exercícios. Depois de um exercício intenso, tome seu banho como sempre, mas termine com água fria nos últimos minutos. Assim, reduzirá a inflamação do corpo e apressará sua recuperação antes da próxima sessão. Isso é ainda mais importante com a idade, quando lesões persistentes por excesso de esforço podem alterar seu amor pela atividade física. À medida que envelhece, é bom acrescentar moderação à rotina de exercícios. Tire mais períodos de folga e aumente os dias de treinos moderados em vez de ir sempre com tudo.

KAPHA: Talvez você seja um adepto tardio dos exercícios mais intensos, mas eles lhe farão mais bem do que a todos os outros, e você tem vigor para praticar quase qualquer modalidade. Seus ossos e músculos fortes são capazes de aguentar o trabalho duro. Os exercícios que o fazem suar eliminam as toxinas do corpo e clareiam a mente. O problema começa quando você pula etapas ou usa atalhos nos treinos. Aplicar a técnica inadequada para levantar pesos, fazer *hot yoga* ou dançar zumba serão sua perdição. Se está com muito sobrepeso, você já força suas articulações. Quando se move depressa, você libera muita energia cinética, que pode distender ou estirar os músculos. Os *kapha* têm muito mais probabilidade do que os outros de sofrer lesões por técnica inadequada. Tome cuidado com todas as novas rotinas de exercício e aumente aos poucos os pesos, as repetições e os minutos na esteira. Sempre que sentir uma pontada ou dor aguda durante os exercícios, pare e verifique sua postura. Se estiver levantando pesos, talvez precise reduzir alguns quilos até aperfeiçoar o movimento. Você não quer que uma lesão súbita estrague todo o seu progresso.

Praticantes fortes

Se respondeu B à maioria das perguntas, você é um praticante forte, ou seja, provavelmente vive segundo o lema *"no pain, no gain"* (sem dor, sem ganho). Tudo bem, porque, em geral, isso funciona com você. Deve ter passado grande parte da vida pondo os exercícios no topo de sua lista de prioridades. Nenhuma outra atividade configura seu corpo e clareia sua mente como ir diariamente à academia, onde você pode praticar aeróbica e musculação. Ou talvez tenha ficado viciado em CrossFit ou num dos muitos programas em vídeo que prometem aumentar os músculos ou prepará-lo para uma competição.

Em termos ayurvédicos, você é do tipo *pitta*. Em sua rotina de exercícios, você quer intensidade, calor e progresso. Quando não está na academia, está na bicicleta, na quadra de tênis ou dando braçadas na piscina. O melhor dos exercícios é saber que, a cada dia, você fica mais forte e mais capaz. Se o visse na academia, eu o reconheceria pela intensidade. Estará indo de aparelho em aparelho sem parar muito ou anotando o progresso num caderno, para ter certeza de que está avançando em força e capacidade a cada sessão. Incluir as sessões na agenda não é problema para você e manter uma rotina regular em sua vida diária é prioridade. Mesmo de férias, você tenta aproveitar cada dia ao máximo.

Você sempre foi ativo. Era aquela criança que corria de quadra em quadra, e talvez sentisse que a melhor maneira de relaxar era fazer algumas cestas ou brincar de pique. Na adolescência, entrou para várias equipes esportivas e gostava de se forçar para se superar fisicamente. Aos 20 e 30 anos, talvez tenha passado por muitas modalidades da boa forma, sempre atrás de algo que ajudasse a aumentar a força e a resistência. Os praticantes fortes geralmente têm muito apetite, porque seu fogo digestivo é tão intenso quanto sua personalidade, e assim talvez você sentisse que os exercícios eram um jeito ótimo de compensar seu amor pela comida.

Para muitos praticantes fortes, a atividade é um regime de emagrecimento. O treinamento de força aumenta os músculos e queima a gordura que se acumularia com uma alimentação irregular. Ter um corpo forte e um metabolismo acelerado funciona bem como solução de emagrecimento até a meia-idade. Nesse momento, muitos praticantes fortes descobrem que o metabolismo muda e que o corpo não constrói mais músculos com a mesma rapidez. Se tiverem o azar de sofrer uma lesão por excesso de esforço causada pelo treinamento intenso, verão que engordam rapidamente e não acham uma forma fácil de perder o peso a mais. Recomendo às pessoas com esse tipo de corpo que controlem a alimentação antes dos 40 anos, para que possam se manter em forma e envelhecer melhor.

Se tiver esse tipo de corpo, eis o que deve ter em mente enquanto se exercita:

TIRE VANTAGEM DE SEU GOSTO PELA COMPETIÇÃO E PELA INTENSIDADE. Por ter uma compleição maior e mais massa muscular, você precisa de exercícios de alta intensidade para manter o tônus muscular e descarregar toda a energia acumulada. Você também tem uma garra natural mais forte e adora se sentir desafiado. Assim, um treino puxado ajuda a reequilibrar suas emoções, tirando o peso da frustração e da incapacidade de controlar tudo na vida. Tente se dedicar a esportes que combinem competição com exercício, como basquete, tênis ou artes marciais. Qualquer atividade que exija acompanhar o progresso o ajuda a manter a motivação, como treinamento de CrossFit ou ciclismo de longa distância. Você pode se destacar nos esportes de inverno porque seu corpo não é afetado pelo frio. Afaste-se do golfe se ele aumentar seu nível de estresse. Tome cuidado também com os esportes de aventura, como o bicicross ou BMX, rafting e escalada, que também podem cobrar um preço alto do seu corpo.

EVITE SE EXERCITAR NA HORA DO ALMOÇO. Geralmente sua agenda é muito cheia, por isso você fica tentado a se exercitar à noite ou na hora do almoço em vez de almoçar. Os exercícios ao meio-dia tiram o fluxo sanguíneo do sistema digestivo, o que vai perturbar seu estômago quando você comer. Você produz mais ácido no estômago na hora da refeição do que os outros tipos de corpo. Se chegar a hora de comer e você não der alimento de verdade ao corpo, esse ácido ficará lá, onde será reabsorvido e criará mais calor e inflamação no organismo. As sessões matinais de exercício lhe oferecerão equilíbrio emocional logo cedo, e assim você conseguirá enfrentar o dia com calma e mais concentração.

Registre seu progresso. Se estiver voltando aos exercícios depois de uma pausa, o melhor a fazer será usar uma planilha, tabela ou caderninho para anotar seus minutos na esteira, as repetições nos aparelhos da academia ou os quilômetros que correu. Também pode registrar a ingestão de comida e água, se quiser. Você é voltado para os detalhes e adora a rotina, mais do que todos os outros tipos de corpo. Ter a prova escrita de seu progresso o manterá concentrado e energizado durante os exercícios.

Refresque-se. Você tem um fogo natural, ou seja, a temperatura de seu corpo é mais alta. Transpira muito quando se exercita, e isso é bom, mas tome cuidado para não se superaquecer. O calor excessivo aumenta as inflamações e traz o risco de lesão; portanto não se esqueça de se hidratar, e uma chuveirada fria depois de exercícios intensos também ajuda. Esse fogo natural tem relação com sua intensidade emocional. Você pode se forçar demais e realmente se força nas competições, e é aí que se machuca. Às vezes tenta levantar peso em excesso ou forçar seu corpo a fazer coisas que ele não consegue. O antídoto para isso é permanecer frio mental e fisicamente: mantenha a mente sintonizada com o corpo enquanto se exercita. Tenha curiosidade pelo modo como se sente durante cada exercício. Nadar é a atividade ideal para esse tipo de corpo, principalmente se você sofre com lesões persistentes, porque mantém o corpo frio e tira a pressão das articulações.

Atente para o período de recuperação. Depois de exercícios intensos, preste atenção em como seu corpo se sente. Nos primeiros minutos, é bom relaxar e observar o seu corpo. Esse período de resfriamento tornar-se ainda mais importante com a idade. Depois dos 50, você precisará espaçar as sessões de treino para não exagerar. Se toma analgésicos todo dia, seus exercícios são demasiado frequentes e intensos e você não se refresca o suficiente no final.

EXPERIMENTE EXERCÍCIOS RELAXANTES. Quando recomendo às pessoas com esse tipo de corpo que frequentem aulas de ioga, elas se irritam. Não acham que posturas e movimentos lentos possam ser benéficos. Pensam que aulas de ioga são perda de tempo. Entendo seu amor pelo suor e pelo esforço, mas todo mundo precisa de equilíbrio. Você necessita de exercícios intensos mas também de exercícios relaxantes que desenvolvam a conexão corpo-mente. Isso pode significar uma caminhada na praia ou na mata algumas vezes por semana, e aulas de ioga ou tai chi.

Praticantes leves

Se você respondeu C à maioria das perguntas, talvez tenha dificuldade de se exercitar o suficiente. Pode ir à academia de forma intermitente, mas isso nunca foi prioridade. Em termos ayurvédicos, você é do tipo *kapha*, tranquilo demais para ficar obcecado com o corpo ou para se envolver em atividades competitivas. E isso é bom. Mas precisa de exercício. Sem ele, seu corpo absorve líquido em excesso e você fica preguiçoso e apático. De todos os tipos de corpo, o seu é o que reage melhor à atividade física, porque você raramente sofre lesões e nunca se cansa. Um treino intenso o encherá de vitalidade e lhe dará um brilho saudável.

Isso pode ser uma revelação, porque muitos praticantes leves se veem como gordos. Seu tipo de corpo constrói ossos e tecidos no início da vida. E, enquanto passava pela adolescência e pelos primeiros anos da vida adulta, pode ter sido difícil emagrecer. Talvez você tenha tendência a engordar, coma o que comer. Na infância, estava mais interessado em socializar ou ler do que em esportes. Se teve vergonha de seu corpo quando jovem, provavelmente isso o impediu de entrar numa academia ou fazer aulas. Numa cultura obcecada por corpos magros, é difícil se sentir à vontade se você for diferente.

Talvez também se sinta intimidado em começar uma rotina de exercícios estando fora de forma. É provável que adore o aspecto social da academia e ainda assim tenha dificuldade em manter a atividade física. Experimente caminhar ao ar livre ou na esteira, para sentir a clareza mental e o poder do exercício em seu corpo sem se preocupar em se encaixar na cultura da academia.

Eis algumas orientações para escolher o melhor plano de exercícios para você:

Exercite-se cedo. Lembre-se de que a atividade o energiza, ainda mais se for pela manhã. Caso tenha dificuldade de entrar nos eixos e se manter concentrado nessas primeiras horas depois de acordar, a atividade física pode mudar tudo isso. Você se sentirá mais leve e mais feliz. É preciso aproveitar seu estoque de energia para fazer a mente funcionar. Especificamente, tem que botar o pulmão para trabalhar. Faça qualquer coisa que o obrigue a respirar profundamente. Algumas pessoas dizem que o exercício é melhor do que uma bebida com cafeína pela manhã, porque se sentem mais vivas e concentradas.

Vá longe. Esse tipo de corpo tem mais resistência, porque conta com ossos maiores e mais tecidos. Você pode exercitar o corpo sem parar e sem se preocupar demais com lesões ou exaustão. Isso significa que se dará muito bem com caminhadas pesadas, trilhas, remo, corridas de longa distância ou ciclismo, tudo que exija energia constante. Mesmo que comece caminhando, você pode percorrer distâncias maiores e depois alternar corrida e caminhada. Finalmente, pode acrescentar musculação ou uma aula de mais intensidade, como *spinning* e um pouco de aeróbica. Depois de superar a inércia, você se exercitará mais e por mais tempo do que todos os outros em qualquer aula.

Sue bastante. Esse tipo de corpo tende a reter líquido, e é por essa razão que talvez você se sinta inchado, congestionado ou lento pela manhã. É preciso liberar esse excesso por meio do suor com os exercícios. Em alguns casos, aconselhei pacientes a fazerem 20 minutos na esteira logo cedo, seguidos por uma sauna. É possível suar com o exercício e depois continuar suando na sauna, o que ajudará seu corpo a se livrar do excesso de líquido. Você pode começar com meia hora de caminhada rápida se não se exercita há muitos anos, mas, à medida que ganhar ritmo, aumente a intensidade para suar todas as vezes.

Preste atenção na técnica. Se é novo nos exercícios, você pode obter um grande benefício fazendo uma simples caminhada todo dia. Mesmo esse volume de esforço fará você respirar profundamente e suar. Continue a se forçar a fazer mais a cada semana, mas observe sempre a técnica correta. Se está com sobrepeso, não é bom se apressar a fazer movimentos incomuns nem levantar peso demais, porque isso vai forçar suas articulações. *Hot yoga* e CrossFit são bons para você, desde que não se apresse antes de aprender cada exercício. Pegue pesado mas com atenção plena para não sofrer lesões.

Conecte-se com seu corpo. É importante notar como se sente durante e depois dos exercícios. Muita gente com esse tipo de corpo se esquece de como se sente bem quando pratica exercícios intensos. Não lembram como ficam leves e com a mente clara. Reserve um tempo para observar o barato natural que vem do exercício e assim ficará mais inclinado a continuar praticando.

Embora você precise comer e dormir para se manter vivo, o exercício é um tipo de hábito diferente. É algo que você tem que decidir fazer todo dia para manter a vitalidade do corpo. Já tendo entendido a necessidade de exercício própria de seu tipo corporal, cultive esse hábito que vai melhorar sua nutrição e a qualidade de seu sono. Encontre algo que alimente seu nível de energia e que também seja divertido.

Agora que aprendeu a dormir mais profundamente, a comer com mais atenção e a energizar o corpo com exercícios, falaremos sobre como o ritmo circadiano do organismo muda segundo as estações do ano.

10

SEU CORPO EM CADA ESTAÇÃO DO ANO

Além de ser influenciado pela quantidade de luz no decorrer do dia, o corpo também se altera em relação às estações. O organismo reage de acordo com a mudança de temperatura e a incidência de luz ao longo do ano. Sem que você perceba, a pressão e o nível de colesterol têm variações sazonais, assim como a necessidade de comida, exercício e sono.

Costumo perguntar aos pacientes como eles alteram a alimentação, a rotina de sono e os exercícios dependendo da época do ano. Em geral, eles dizem que não alteram nada, apesar de relatarem que têm uma reação física e emocional muito diferente a cada estação. Afirmam que adoram o verão e, quando pergunto por quê, respondem que é porque saem de férias. Quando indago como se sentem nos meses quentes do verão quando não estão de férias, eles percebem que o tempo quente os deixa frustrados. Ou dizem que o inverno (que no hemisfério Norte vai de dezembro a março) é ótimo por causa das festas de fim de ano, mas na verdade sofrem de congestão e tristeza durante quase todos os meses invernais. Essas coisas são importantes, porque você pode reorganizar seus horários de modo a lidar melhor com as dificuldades físicas que cada estação traz ao corpo e à saúde emocional.

Embora você note que faz mais frio no inverno ou que os dias ficam mais longos na primavera, talvez não altere seus horários para refletir essas mudanças. Quando as pessoas me relatam que tomam uma vitamina ou um iogurte com frutas toda manhã o ano inteiro, tenho que perguntar: por que faz isso? Dizem que é natural. Fruta faz bem, não é? Mas o mirtilo, por exemplo, é uma fruta que refresca. A mãe natureza nos oferece essas frutinhas no verão para contrabalançar o calor, numa época do ano em que o corpo processa melhor a frutose. Outros me contam que param de se exercitar no inverno porque não dá para correr ao ar livre ou porque é difícil ir à academia de manhã cedo, quando ainda está escuro. Mas é nos meses de inverno que seu corpo mais precisa do efeito aquecedor e energizante do exercício diário. Essa é a época para abrir mão de sanduíches frios ou saladas no almoço, porque eles não vão aquecer e nutrir seu organismo.

A alimentação, o exercício e o sono precisam se adaptar à mudança das estações. E você tem que prestar atenção em como seu corpo se sente em cada uma delas para realizar os ajustes adequados.

Pense bem: nos dias mais pesados do inverno, quando passa menos tempo ao ar livre, você pode se sentir disperso e desidratado. Os dias curtos interferem em seu humor e seu entusiasmo para se exercitar. Talvez você tenha mais vontade de consumir doces ou aquelas comidinhas reconfortantes da vovó e venha a engordar. Na primavera, o frio vai embora e vemos a natureza voltar a florescer, mas talvez ainda fique uma sensação de peso ou preguiça no corpo. Do fim da primavera ao início do verão, há muito verde em volta, os animais saem e fazem barulho, seu nível de energia aumenta e o humor melhora.

No verão, você quer ficar ativo e ao ar livre o máximo possível – a não ser, é claro, que faça calor demais. Talvez você perceba que pode comer mais sem engordar, mas, na realidade, é provável que esteja comendo mais frutas, verduras e legumes frescos e ingerindo mais fibras do que nas outras estações. Ainda assim, nos dias mais quentes você pode se sentir lânguido ou frustrado. No outono, depois da colheita, a estação seca vai voltando enquanto os dias ficam mais curtos. Talvez você sinta uma aceleração das ideias à medida que os dias ficam mais curtos e mais frescos, ou talvez se sinta triste e letárgico enquanto o mundo natural começa o ciclo da hibernação.

Todas essas pistas deveriam ajudá-lo a mudar seus horários e sua alimentação. Você pode achar que essas coisas acontecem apenas em função da temperatura externa, mas aqui há muito mais elementos em ação.

O corpo e as estações do ano

Há anos pesquisadores vêm observando que o corpo muda ao longo das estações. A pressão sobe um pouquinho no inverno e cai no verão.[1] O mesmo acontece com o nível de colesterol e de proteína C-reativa, um marcador de inflamação.[2] Com todos esses fatores, provavelmente não surpreende que os incidentes cardiovasculares, como infartos e derrames, aumentem nos meses de inverno, assim como a incidência de diabetes tipo 1.[3] Na verdade, as mortes por todas as causas aumentam no inverno, mas também a concepção, que permanece alta durante a primavera.

Tendemos a ingerir mais calorias no outono e no inverno, e as pessoas dizem que sentem fome mesmo depois de comer demais.[4] Naturalmente invertemos esse padrão na primavera, sentindo menos fome e, em consequência, comendo menos.

Até o cérebro muda ao longo do ano. O nível de serotonina chega ao máximo nos meses de verão,[5] ao passo que o nível de dopamina sobe no outono e cai na primavera.[6] A queda do nível de serotonina no outono e no inverno pode ser um fator que contribui para o transtorno afetivo sazonal.[7] Mas o cérebro também muda de outras maneiras. Por meio de ressonâncias magnéticas funcionais, pesquisadores notaram que partes do cérebro ficam mais ou menos ativas em épocas diferentes do ano, o que indica que a capacidade de aprender, pensar e recordar também pode ter um componente sazonal, mas essas coisas são mais difíceis de mensurar.[8]

O sistema imunológico fica menos ativo no inverno, principalmente os genes que suprimem a inflamação. A pesquisa sobre a sazonalidade dos genes é nova e está em andamento. Um estudo recente mostra que cerca de um quarto dos genes muda durante as estações; alguns ficam mais ativos no verão, outros no inverno.[9] Essas alterações afetam o sistema imunológico, as células adiposas e a composição do sangue e parecem provocadas pelas mudanças do ciclo de luz. Isso envolve o hipotálamo e o pequeno feixe de nervos do núcleo supraquiasmático que registra a luz e ajusta o ritmo circadiano do organismo. Parece que as funções do corpo estão atreladas às estações do ano e não apenas ao ritmo diário de luz e escuridão.

As estações do ayurveda

Todas essas pesquisas sustentam a visão ayurvédica de que as estações afetam o corpo. No ayurveda, as três estações dominantes – o crescimento e a umidade da primavera, a produtividade quente do verão e a secura dormente do fim do outono e do inverno – correspondem às energias dóshicas: *kapha*, *pitta* e *vata*. A mudança das estações na natureza influencia seu corpo de várias maneiras. Todo mundo tem uma estação em que se sente ótimo e provavelmente outra em que tem mais dificuldade. Ao compreender a energia de cada estação, você pode preparar o corpo para se manter saudável e equilibrado o ano todo.

Estação *kapha* (do fim do inverno ao início do verão)
Kapha é a estação do crescimento e da umidade. Torna-se ativa no solstício de inverno, predomina no fim do inverno e se vai no fim da primavera. É a estação em que o corpo se prepara para o crescimento, o que pode ser bom ou ruim. É uma época para começar a pensar nos exercícios de que você precisa para construir força e músculos. Também é o período em que o corpo naturalmente quer eliminar gordura e toxinas, ou seja, pode estar gerando mais muco, e talvez você fique mais suscetível a resfriados e alergias sazonais. Para aproveitar essa estação, pense em termos do que seu corpo precisa:

Sono: Como a luz do dia chega mais cedo, você deveria acordar mais cedo. No início dessa estação, ainda estará se levantando no escuro para trabalhar e voltando para casa no escuro, mas é bom obter o máximo possível de luz natural, o que pode exigir uma breve caminhada ao ar livre antes de trabalhar e outra depois do almoço. Essa luz natural o ajudará a melhorar seu humor e a abrir seu corpo para a energia da primavera. Talvez você perceba que o início dessa estação corresponde a um sono pesado e uma letargia apática pela manhã. À medida que ela avança, você verá que seu sono vai ficar mais leve. Isso é natural. Desde que tenha um regime constante de luz natural e faça algum exercício, você conseguirá evitar a insônia.

Exercícios físicos: No início de julho, você deveria estar pensando em voltar à academia. Essa é a estação da letargia, e a atividade física é o melhor remédio para combater essa sensação. Concentre-se numa série que aumente a força e a flexibilidade. Não exagere! Faça alguns alongamentos e exercícios com pesos, além de um pouco de aeróbica. E aumente a intensidade no decorrer da estação. Esse é o melhor momento para usar o exercício como ferramenta de emagrecimento e definição do corpo. A estação *kapha* é uma época para construir tecidos. Agora seus músculos estão preparados para ganhar força e resistência. É bom fazer uma sauna depois de cada sessão de exercícios, para ajudar o corpo a perder umidade. Você não vai precisar tanto da sauna depois do equinócio de primavera, quando o aumento da duração do dia assinala o tempo final do *dosha kapha*.

Alimentação: Seu metabolismo hibernou durante o inverno. Provavelmente você comeu mais carne, alimentos ricos em gordura e raízes enquanto se protegia do frio. Embora o tempo seco e frio se mantenha em muitas regiões durante julho e agosto, juntamente com o ar seco da calefação dentro de casa, seu corpo está se preparando para acumular água e descartar toxinas. Não está mais na fase de armazenar gordura, portanto está na hora de começar a alimentação de primavera, antes mesmo que o clima fique mais primaveril. No início de julho, reduza os alimentos pesados e gordurosos e introduza legumes e verduras de primavera enquanto se prepara para o clima mais quente. Você sentirá menos fome do que no outono e no início do inverno, portanto essa é uma boa época para reduzir as porções e a gordura. Quando agosto chegar, é bom que sua alimentação seja assim:

1. **Verduras amargas.** Passe das raízes, como cenoura, batata e beterraba, para as verduras. Essa é a época para consumir espinafre, repolho,

brócolis, brotos, aspargos e ervilhas. Você também pode comer cebola e brotos de cebola.

2. **Carnes mais magras.** É bom reduzir as carnes pesadas e gordurosas que você pode ter comido durante o inverno. Não há problema em diminuir a ingestão de proteína nessa época e preferir fontes como carnes magras, ovos, nozes, castanhas e tofu. Reduza também os peixes gordurosos, porque você não precisa de tanto óleo em sua alimentação nessa época.

3. **Menos laticínios.** Como seu corpo pode estar retendo água e produzindo muco, é bom se afastar dos laticínios com o avanço da estação. Os laticínios favorecem os resfriados sazonais e os sintomas alérgicos. A única exceção é o leite morno, que você pode usar para ajudá-lo a ter sono à noite ou para aquecer o café pela manhã. O leite morno contribui menos para a congestão, principalmente se consumido com canela ou outras especiarias.

4. **Frutas secas.** Em alguns lugares pode haver menos frutas frescas da estação, e é bom reduzir seu consumo, o que significa que ainda não está na hora de tomar vitaminas de fruta pela manhã. Você pode recorrer às frutas secas, mas em pequena quantidade.

5. **Menos óleos.** Essa é uma boa época para reduzir o óleo também para cozinhar.

6. **Temperos que aquecem.** É bom reduzir a ingestão de sal enquanto o corpo acumula umidade, mas todos os outros temperos são muito bons. Os temperos picantes, como a pimenta, abrem as vias nasais e provocam descargas que ajudam a expurgar toxinas.

CHÁ PARA EQUILIBRAR O *KAPHA*

Este chá ajuda o corpo a se preparar para a primavera. Inclui especiarias quentes que promovem a limpeza, ajudam a digestão e dão energia. Também auxiliam o controle da glicemia e a eliminação natural do excesso de líquido do organismo. Você pode consumi-lo do início de julho até o início de setembro.

4 xícaras de água
1 colher de sopa de canela em pó ou pau de canela moído
1/4 de colher de chá de cúrcuma
1 colher de sopa de adoçante natural (mel, xarope de arroz, agave)
1 colher de chá de gengibre ralado

Numa panela média, ferva a água e em seguida acrescente a canela e a cúrcuma. Complete com o adoçante e o gengibre e deixe ferver 2 por minutos. Coe e sirva.

Estação *pitta* (do início do verão ao meio do outono)

Pitta é a estação do calor e da produtividade. Sua influência surge no equinócio de primavera, mas se torna dominante no início do verão e se reduz na época da colheita. Depois do equinócio de primavera, os dias ficam mais longos e mais quentes. A chuva e a umidade se tornam intermitentes, e a mãe natureza está viva e vibrante. As plantas cumprem seu papel: crescem e produzem frutas e legumes. É a época de seguir a natureza e ser mais ativo, trabalhar em suas metas e ficar ao ar livre. O corpo está nas melhores condições para absorver luz e atividade e tolera melhor uma alimentação mais variada. Eis como aproveitar ao máximo essa estação:

Sono: O cérebro fica mais ativo nessa estação, e você pode dormir menos e ainda assim se sentir renovado. Não é para ficar acordado até tarde; levantar-se da cama com as primeiras luzes será mais fácil e lhe permitirá aproveitar os dias mais longos. Isso significa acordar às 5h ou às 5h30 nos dias mais longos, e será bom sair e absorver essa luz extra. Mesmo que às 20h30 ainda não esteja escuro em algumas regiões, não se esqueça de desligar os aparelhos eletrônicos assim que escurecer. O corpo precisa de um lembrete forte para desacelerar e se preparar para dormir quando os dias são mais compridos.

Exercícios físicos: Essa é a estação para ficar ao ar livre. Qualquer que seja o seu tipo de corpo, a resistência aumenta nessa época, e você pode ficar mais ativo ao ar livre durante boa parte do dia. Fazer longas caminhadas é o ideal.

Tome cuidado para não superaquecer o corpo durante os exercícios e não se esqueça de beber muito líquido nos dias quentes. Por causa do calor e da umidade, a inflamação é uma grande preocupação no verão. Caso sinta dor persistente, reduza os exercícios e prefira alongamentos e movimentos de baixo impacto por alguns dias.

Alimentação: Essa é a alta temporada para comer frutas, legumes e verduras frescos. Seu corpo está obtendo muita luz e atividade e, ao mesmo tempo, você não sente tanta fome quanto no outono e no inverno. É a época de saladas, frutas e mais carboidratos. Prefira alimentos amargos, adstringentes e doces. No final de dezembro, sua alimentação deve se concentrar em:

1. **Verduras e legumes:** Pense em ingerir uma grande variedade de legumes e verduras da estação, crus ou cozidos. Você pode comer feijão e batata nesse período, porque sua digestão está bastante forte para lidar com amidos complexos naturais. O ideal é comprar alimentos cultivados e amadurecidos localmente, porque contêm a energia da estação. Evite outras raízes. Também reduza a pimenta, principalmente em dias quentes, porque faz o corpo corar e suar.
2. **Menos carne.** Você pode reduzir a ingestão total de proteínas. Coma apenas carnes magras, o que será fácil, porque provavelmente você não terá tanta vontade de comer carnes pesadas e gordurosas quando o corpo quer estar leve e ativo. (Se você já se perguntou por que se sente pesado e apático depois de um churrasco, é por isso.) É uma época ótima para grelhar as proteínas mais leves dos peixes magros. Mesmo assim, coma-os com moderação. Seu corpo precisa de alimentos coloridos naturais para manter um nível elevado de energia.
3. **Modere os laticínios.** Durante esses meses, você pode aumentar a ingestão de laticínios se não sofrer de alergias sazonais nem resfriados de verão. Se tiver congestão, evite-os.
4. **Frutas vibrantes.** Essa é a alta temporada das frutas, e você pode comê-las em todas as refeições se quiser. Seu corpo será mais capaz de lidar com os açúcares naturais, e elas também trazem o benefício de resfriar o corpo.

5. **Óleos saudáveis.** Embora provavelmente você não vá ansiar por gorduras e alimentos pesados, não se preocupe em reduzir a ingestão de óleos nesse período. Na cozinha, use a mesma quantidade que usou na primavera. Seu corpo ainda precisa de lubrificação, seja qual for a estação do ano, e os óleos saudáveis ajudam a acender seu fogo digestivo.
6. **Temperos.** Você pode usar todos os temperos nessa época, mas é bom reduzir o consumo de mostarda, pimenta-caiena e pimenta-malagueta, porque fazem a pele corar e geram calor no corpo. Nessa época do ano, mantenha o corpo fresco.

CHÁ PARA EQUILIBRAR O *PITTA*

Prepare este chá entre dezembro e o fim de abril para ajudar o corpo a lidar com o calor e a atividade do verão. Essas ervas contribuem para resfriar o corpo. Conseguem acender o fogo digestivo sem aquecer o organismo. Também reduzem as inflamações, especialmente problemáticas nessa estação.

4 xícaras de água
1 colher de sopa de folhas de hortelã esmagadas ou picadas
1 colher de sopa de folhas de menta esmagadas ou picadas
1/8 de colher de chá de açafrão-verdadeiro em estigmas
1 colher de sopa de adoçante natural (mel, xarope de arroz, açúcar mascavo ou demerara, opcional)

Numa panela média, ferva a água e junte as folhas de menta e hortelã. Deixe em infusão por 3 minutos. Tire a panela do fogo e deixe esfriar antes de acrescentar o açafrão e o adoçante, se quiser. Coe e sirva frio, mas não ponha gelo.

Estação *vata* (do fim do outono até o meio do inverno)

No equinócio de outono, a natureza descansa. As folhas caíram e a vegetação adormeceu. O clima fica frio e seco enquanto os dias encurtam. *Vata* é a estação seca da hibernação e da reflexão. Entra em atividade no equinócio de outono, prevalece até o fim do outono e se reduz no meio do inverno. Talvez você perceba que dorme mais profundamente e se sente mais disperso e menos sociável.

Nessa estação, talvez você acorde para trabalhar na escuridão e, ao voltar para casa, já esteja escuro. O corpo fica naturalmente mais desidratado. Desidratar-se vai deixá-lo mais letárgico e afetar seu estado de espírito e seu raciocínio. É a estação para beber água e chás de ervas o dia todo e para pensar em aumentar a quantidade de gordura na alimentação. Lembre-se de que a pele é o maior órgão do corpo, e investir em óleos naturais para aplicar nas mãos e nos pés é uma boa maneira de ajudar o corpo a manter sua umidade.

Sono: Essa é a época em que se faz mais necessário desligar os aparelhos eletrônicos cedo o bastante para descansar antes de dormir. Há uma predisposição para investir em entretenimento passivo nos meses mais frios e escuros do ano. Essa é a armadilha desses dias curtos e frios. Quando está escuro lá fora, você se concentra em encontrar maneiras de se entreter. Prefira jogos de cartas ou tabuleiro, que são um pouco mais ativos. Você dormirá naturalmente por mais tempo e com mais profundidade nessa estação, e é importantíssimo deitar-se na hora certa e ter tempo suficiente para dormir antes que o despertador toque. Nessa estação, o escuro vai até mais tarde pela manhã e chega mais cedo à tardinha. Reserve um tempo, pelo menos duas vezes por dia, para caminhar ao ar livre e procure trabalhar perto de uma janela. Você precisa do máximo possível de luz natural para sentir sono à noite e controlar a tristeza sazonal.

Exercícios físicos: À medida que os dias ficam mais curtos, talvez você não se sinta tão motivado para corridas longas ou treinos intensos com pesos. Essa é a estação para priorizar movimentos e alongamentos suaves. Experimente ioga, Pilates ou qualquer coisa que lhe permita manter o corpo flexível. Você ainda pode correr e fazer musculação se for um praticante forte – do tipo *pitta* –, mas essa não é a melhor época do ano para desenvolver a força ou a resistência.

Alimentação: Essa época do ano é mais problemática para quem tenta emagrecer. Talvez você sinta mais fome do que no verão e fique tentado a comer demais. Use a bebida de gengibre (página 115) para controlar anseios e excessos e evite pratos e doces à base de farinha de trigo. Essa é a época do ano em que o ato de comer motivado pelas emoções é mais frequente e mais prejudicial a seu estado de espírito. Se notar que está comendo mais doces ou tomando mais bebidas alcoólicas, talvez a razão seja emocional e se deva à depressão sazonal. Não se esqueça de se alimentar de forma saudável antes dos eventos sociais e minimize o consumo de álcool, que só piora a melancolia do inverno. Quando os dias são mais curtos, precisamos fazer a última refeição do dia antes de escurecer. Também é bom evitar alimentos que secam o organismo, como assados, pães e petiscos secos, como pipoca e bolachas salgadas. Evite alimentos frios, como iogurte, flocos de milho no café da manhã ou legumes crus. Pense em termos de alimentos que esquentam, principalmente no café da manhã. No meio do outono, sua alimentação deve incluir:

1. **Raízes.** Há muitos bons legumes da estação para escolher, como abóboras e raízes. Você pode comer verduras amargas, se forem refogadas. Pense em sopas e ensopados como o prato principal dessa época. São quentes e satisfazem.
2. **Todas as carnes.** Essa é a época para comer carne, se você gostar. As carnes contêm macronutrientes que seu corpo pode usar o ano inteiro. Se obtiver mais energia com carne vermelha e peixe, você reduzirá naturalmente a ingestão de açúcar e farinha refinados. Comer mais carne não significa fazer refeições maiores. Ainda é bom compor um prato com pequenas porções de carne cercadas por muitos legumes e verduras, porém mais proteína nessa época do ano saciará a fome maior e eliminará a vontade de fazer lanchinhos.
3. **Menos laticínios.** Reduza ou elimine os laticínios nos meses secos porque a combinação de vias nasais secas e muco pode piorar muito os resfriados sazonais. Se tiver metabolismo variável, você pode ingerir pequenas porções de laticínios, mas pessoas com metabolismo lento devem evitá-los completamente.

4. **Frutas secas reidratadas.** Dependendo de onde você mora, pode haver poucas opções de frutas da estação nos meses mais secos. Você pode comer maçãs, principalmente cozidas ou assadas. Mas é bom evitar frutas vermelhas fora da estação. Vitaminas de frutas congeladas não são uma boa ideia no inverno, quando o corpo é menos capaz de processar alimentos frios e os açúcares das frutas. Se sente necessidade delas, ponha frutas secas no mingau de aveia de manhã, mas deixe-as de molho antes.
5. **Bastante gordura saudável.** Essa é a alta temporada para usar óleos no preparo dos alimentos. O corpo anseia pelos óleos naturais para manter a pele e as articulações lubrificadas. Enquanto obtém mais energia dos óleos naturais, é bom reduzir os adoçantes e os grãos e cereais refinados.
6. **Temperos que aquecem.** Você pode usar mais sal nessa época do ano, porque ele ajuda o organismo a armazenar líquidos. Aumente também o consumo de pimenta e outros temperos, que ajudam a esquentar.

CHÁ PARA EQUILIBRAR O *VATA*

Sirva este chá entre o final de abril e o meio do inverno. Ele aquece e vai ajudá-lo a se manter estável e hidratado na estação fria e seca. Essas ervas ajudam a regular o apetite, que fica variável nessa época, e também promovem o funcionamento saudável do intestino.

4 xícaras de água
1 colher de sopa de sementes de funcho
1 colher de sopa de sementes de coentro
2 vagens de cardamomo
1 colher de sopa de adoçante natural (opcional)

Numa panela média, ferva a água. Amasse de leve as sementes e vagens e junte-as à água fervente. Deixe ferver por 3 minutos antes de acrescentar o adoçante, então ferva por mais 2 minutos. Coe e sirva quente.

DETOX ENTRE AS ESTAÇÕES

Como o corpo precisa se ajustar às mudanças sazonais de luz, no ayurveda há o costume de fazer limpezas sazonais para ajudar o organismo a liberar a energia da estação passada e receber a nova. É o chamado *ritucharya*. Em sânscrito, *ritu* significa "estação", e *charya*, "rotina ou cronograma". Já uma desintoxicação profunda de vários dias, chamada *panchakarma* – que envolve, entre outras coisas, aplicação de óleo, de vapor, limpezas nasais, estomacais e intestinais e uma alimentação específica para as necessidades de sua saúde –, pode ser feita numa clínica. Mas, se não tem tempo para tudo isso, experimente um reajuste digestivo mais simples em casa.

É bom fazer isso perto das datas em que os dias são mais curtos, outra vez quando forem mais longos e em cada um dos equinócios. Todo ano, essas datas serão, aproximadamente, os dias 21 de dezembro, de março, de junho e de setembro. Não é preciso escolher essas datas exatamente; qualquer dia até uma semana antes ou depois serve. Prefira um dia no fim de semana ou um dia em que não terá que trabalhar nem lidar com muitas obrigações sociais. Esse é um momento para ficar em casa e se cuidar. Você precisará de acesso fácil ao banheiro nas primeiras horas.

Comece pela manhã, sem comer nada ao acordar. Beba apenas café preto ou chá, se precisar de cafeína.

Em primeiro lugar, tome uma ou duas colheres de chá de óleo de rícino, que é um laxante simples. Você pode tomar puro ou misturado com um pouco de suco de laranja, se o gosto incomodar. Não coma nada até o meio-dia. Depois de 30 minutos a uma hora, o óleo começará a fazer seu trabalho de limpeza do cólon. Você vai eliminar todas as toxinas da estação anterior e toda a comida que ficou sem digerir dentro do organismo.

No resto do dia, atenha-se a uma dieta líquida de sopas ralas, caldos e chás de ervas. Se sentir que precisa comer alguma coisa no início da noite, que seja algo leve, como uma fruta ou legumes cozidos no vapor. A ideia é dar descanso ao sistema digestivo para que comece a trabalhar com energia renovada no dia seguinte.

Se reservar um tempo para limpar o corpo entre as mudanças de estação, será menos provável que sofra de resfriados sazonais, e sua capacidade de digerir alimentos novos melhorará drasticamente. Você notará nas semanas seguintes à limpeza um aumento de energia e de sua capacidade de fazer boas escolhas alimentares.

Como seu corpo se sente?

Quando você conhece seu tipo de corpo, é preciso prestar atenção em como ele se comporta quando a estação combina com seu *dosha*. Embora pareça natural supor que você estará na melhor forma quando seu *dosha* coincidir com a estação, na verdade ocorre o contrário. Quando a estação é igual a seu *dosha*, você corre mais risco de desequilíbrio. Se for *kapha*, por exemplo, é na estação *kapha* da primavera que você precisa ficar atento à alimentação sazonal e aos horários, para contrabalançar o efeito dessa estação sobre seu corpo. E se você mora numa região onde a estação que corresponde a seu *dosha* é mais longa, é aí que pode ter problemas de saúde constantes que são difíceis de tratar.

Conheci recentemente uma senhora que morava em Idaho, um lugar com invernos longos. A primavera pode ser fria e úmida durante muitos meses. Ela veio me consultar por causa da sinusite crônica. Ficava congestionada a maior parte do ano e tinha um armário cheio de descongestionantes e sprays nasais. Dois médicos tinham recomendado cirurgia. Ela sofria com essa doença havia 10 anos, exatamente o período em que morava em Idaho.

Todo ano ela visitava a irmã no Arizona. Perguntei se gostava de lá, e ela disse que percebera que não tinha congestão nasal no Arizona. Naquelas visitas de 15 dias, não havia sintomas. Então lhe fiz a pergunta natural: se ela poderia se mudar para o Arizona. Ela riu e me disse que sairia caríssimo aviar essa receita. Mas combinou com o marido que passaria dois meses com a irmã para ver como se sentia num clima que parecia mais compatível com seu corpo. Como tem uma pequena butique na internet, ela ainda seria capaz de trabalhar e ganhar dinheiro num local diferente.

No fim daqueles dois meses, ela teve a remissão completa da congestão e da sinusite e perdeu 8 quilos.

Como isso foi possível? Ela era um *kapha* típico, com sono forte e metabolismo lento. Aquele inverno longo exacerbava a sinusite e a dificuldade de dormir, e ela comia mais para se distrair dos sintomas, já que não tinha energia para se exercitar. No clima seco, todos esses sintomas sumiram. Ela respirou com mais facilidade, dormiu melhor, comeu melhor. Caminhava diariamente e até começou a fazer exercícios mais pesados, e não ficou nada empolgada com a ideia de voltar a Idaho passados os dois meses. Finalmente, o marido concordou em procurar emprego no Arizona, e eles conseguiram fazer a mudança de forma permanente.

É claro que nem todo mundo tem como se mudar, mas, se tomar cuidado com as rotinas de alimentação, exercício e sono, você pode fazer muito para minimizar o sofrimento sazonal. Esse é o poder de escutar o seu corpo.

O primeiro passo é se perguntar como se sente em épocas diferentes do ano. Como fica sua saúde nas diversas estações? Como seu corpo interage com as mudanças de luz, escuridão e temperatura? Em que estação você se sente melhor em termos de saúde, energia e clareza mental? Em que estação se sente pior? Uma coisa é dizer que você detesta o inverno por causa do frio e dos dias curtos, mas há quem goste do inverno. As pessoas com temperatura corporal mais alta aguentam o frio. Talvez apreciem esportes ao ar livre no inverno. Podem ter empregos que lhes permitam obter luz natural suficiente. Outros sofrem mais na primavera, sobretudo com resfriados sazonais, porque o clima úmido não lhes faz bem. E alguns perdem totalmente o ânimo no calor forte do verão.

Quando observar como você interage com as mudanças sazonais, pense em termos de saúde e bem-estar emocional. Considere também a clareza mental. Em geral, essas três coisas estão interligadas. Conheço muita gente que é *vata*, tem compleição naturalmente esguia, cabelo e pele finos, além de um apetite variável, e é propensa a insônia. Essas pessoas ficam um pouco cansadas e dispersas quando estão desequilibradas. Muitas sofrem no fim do outono e no início do inverno, a estação *vata* do frio seco. No inverno, a insônia aumenta. A pele e os tecidos ficam desidratados, o que as torna propensas a resfriados, e elas se esquecem de cuidar de si. Costumam se sentir ansiosas e sobrecarregadas nos dias mais curtos do ano. Ficam sem energia. Durante anos, disseram a si mesmas que são as festas de fim de ano (que acontecem no inverno no hemisfério Norte) que as deixam loucas, mas na verdade as festas têm muito pouco a ver com isso. É a estação do ano que as afeta. Se você mora numa região onde o ar frio e seco é mais intenso, seu corpo reagirá ainda mais.

Se isso soa familiar, é bom cuidar do seu corpo com o avanço do outono. Faça questão de se exercitar todo dia, porque isso aquecerá seu corpo e ajudará sua mente a se concentrar. Beba chás de ervas todo dia. Sempre se agasalhe adequadamente ao sair de casa – isso significa cobrir as orelhas e, às vezes, pôr um pouco de óleo de gergelim num cotonete e massagear o canal auditivo para evitar que resseque. É bom guardar um pouco de óleo num conta-gotas e pingar uma ou duas gotas em cada narina à noite. A massagem com óleo é maravilhosa para o corpo em qualquer estação, mas principalmente quando os dias são curtos. Massageie os pés e as pernas com óleo antes de tomar banho. Mais do que a maioria, você precisa acrescentar gorduras saudáveis na alimentação, portanto faça questão de usar óleos ou *ghee* na cozinha. Só coma pratos quentes; nada de saladas cruas, sanduíches frios ou iogurte gelado no inverno. Parecem providências pequenas, mas fazem uma enorme diferença.

Se seu sono é forte, seu metabolismo é lento e você só se exercita de leve, provavelmente seu tipo de corpo é *kapha*. Pode engordar com mais facilidade do que emagrece e talvez tenha problemas de letargia e congestão pela manhã. Para você, a primavera será a estação difícil, com umidade alta e temperatura variável. Talvez perceba que fica doente durante a estação *kapha* e se sente mais preguiçoso e menos capaz de se levantar da cama pela manhã. Pode engordar no fim do inverno e início da primavera. Esse é outro tipo de corpo que reage ao frio, mas produz congestão no ar frio e úmido. Você terá dificuldade em qualquer clima frio e chuvoso. Para combater esse clima, são necessários exercícios diários intensos que lhe proporcionem calor e eliminem líquidos do corpo. Uma sauna pós-treino lhe fará bem. Ao contrário do *vata*, você não precisa de gordura na alimentação, mas sim de pratos quentes. Os alimentos apimentados são muito bons para você porque abrem as vias nasais. Seja rígido com seu regime de exercícios e sua alimentação nos meses do fim do inverno e durante a primavera. Levante-se cedo e vá à academia, e todo o seu dia se desenrolará com mais facilidade.

Os tipos *pitta* são aqueles com muito calor corporal. Têm insônia de madrugada, apetite abundante e forte necessidade de exercício. Essas pessoas podem ter dificuldade no verão, quando a temperatura sobe. Fora de seu ponto de equilíbrio, elas se forçam demais física e emocionalmente. Se você é assim, tome cuidado quando o verão ficar quente e abafado. O clima tropical não é para você, porque seu corpo não se resfria facilmente. Você fica mais propenso a dores de cabeça e até a enxaquecas na luz forte do verão. E a inflamação fará velhas lesões voltarem. Evite alimentos apimentados nessa época. Pense em comer coisas refrescantes, como frutas, legumes e verduras cruas e temperos suaves. Refresque-se com natação e banhos frios. Até molhar o rosto ou os pés com água fria antes de se deitar vai ajudá-lo. Beba muita água o dia todo, pois isso tem efeito resfriador, e fique longe de bebidas alcoólicas. Reduza os exercícios intensos nos meses de verão. Seu corpo não fica tão forte nessa época do ano, e não faz bem se forçar com treinos de musculação puxados ou corridas longas.

AVES MIGRATÓRIAS

E o que acontece quando você mora num clima frio e planeja uma estada prolongada num clima tropical exatamente quando os dias estão ficando mais curtos? Do ponto de vista ayurvédico, o que acontece é óbvio. O corpo se confunde com o ciclo de luz, a temperatura e a comida completamente diferentes. É como se você arrancasse seu corpo do ciclo natural de hibernação e o mergulhasse na estação produtiva de calor suave, intensa atividade e uma alimentação naturalmente rica em carboidratos. Embora seu estado de espírito melhore com o sol quente e o relaxamento ao ar livre, seu corpo pode puni-lo com um forte resfriado.

Gostemos ou não, nosso corpo muda com as estações, e é bom saber disso antes de viajar para que você se prepare. Melhor ainda, é bom viajar quando as estações estão começando a mudar.

Tenho muitos pacientes que tentam evitar completamente o inverno morando metade do ano num clima mais quente. Quando morei no Havaí, trabalhei com um casal que visitava as ilhas todo ano. Eles chegavam a Kauai na época do Dia de Ação de Graças (outono no hemisfério Norte) e permaneciam até março ou abril, quando, feito um relógio, ficavam muito doentes ao voltar a Toronto quando já era primavera. Sua chegada anual ao Havaí também não era fácil, e eles tinham dificuldade para se ajustar ao clima quente. A exaustão e os resfriados constantes os fizeram pensar que tinham alguma alergia ou depressão, e eles me procuraram para limpar as toxinas do corpo. A desintoxicação ajudou, mas eles ainda ficaram doentes quando voltaram para casa.

Perguntei-lhes se seria possível mudarem a data das visitas. Conseguiriam ficar no Canadá até o solstício de inverno e voltar antes do equinócio de primavera? Isso significaria ficar um mês a mais no frio e retornar no fim de março, quando o clima ainda não esquentara. Dessa maneira, eles estariam em casa no início do inverno e voltariam antes que a estação terminasse. Seu corpo experimentaria o encurtamento dos dias. Depois do solstício de inverno, o corpo começa a se preparar para a primavera, e eles poderiam partir para uma estada prolongada em outro lugar sem chocar o organismo. Se voltassem antes que os dias ficassem longos demais, conseguiriam se ajustar melhor.

Depois que alteraram o cronograma de viagens para levar em conta essas mudanças sazonais, eles conseguiram passar a maior parte do inverno num clima quente sem ficar doentes duas vezes por ano. Se tiver consciência de como as estações afetam seu corpo, você pode viajar tranquilo, sem provocar um choque no organismo.

Como levamos a vida principalmente em ambientes fechados, é tentador pensar que o clima não nos afeta, mas afeta, sim. Ele muda tudo no funcionamento do organismo, do humor à saúde física. Se você prestar atenção no modo como seu corpo reage à mudança das estações, poderá ajustar sua programação diária de atividades para se manter saudável. Depois de se acostumar, isso se tornará instintivo, da mesma maneira que você guarda os suéteres e casacos para se preparar para a primavera. Com o tempo, você se adaptará aos diversos ritmos da vida ao longo do ano.

Cuide de si mesmo na estação que é mais difícil para você e ajuste a alimentação e os horários dos exercícios para manter seu brilho radiante o ano todo. O que acontece fora de sua janela também acontece dentro de seu corpo, e é fundamental notar como essas mudanças o afetam para realizar os ajustes corretos da alimentação e do estilo de vida a fim de se manter equilibrado o ano inteiro.

11

AS ESTAÇÕES DA VIDA

● ○ ◐ ●

Marcus, um corretor imobiliário de 53 anos, veio me consultar pouco depois de se casar. Começava a se sentir letárgico e cansado durante o dia, incapaz de se concentrar no trabalho. Na verdade, a situação ficara tão ruim que, ao meio-dia, ele sentia que precisava de um cochilo e não conseguia se reunir com clientes nem dar telefonemas importantes à tarde. Era um homem robusto, muito musculoso e tenso. O novo casamento era muito gratificante para ele, mas o resto de sua vida estava desmoronando, e ele não sabia por quê.

Com uma análise mais atenta à sua agenda, porém, descobrimos que, sem querer, ele adotara os horários da nova esposa. Se antes tinha uma rotina rigorosa de exercícios pela manhã e uma alimentação frugal e dormia cedo, agora ele agia de forma muito diferente. Dormia até mais tarde de manhã, porque era o que a esposa gostava de fazer. Tomavam o café da manhã às 8h e depois iam para o trabalho. Encontravam-se para almoçar num restaurante diferente a cada dia. À noite, ela começava a preparar o jantar às 19h ou 19h30, e eles só se sentavam para comer lá pelas 21h. E geralmente tomavam várias taças de vinho no jantar. Então, assistiam juntos à TV até as 23h e só então iam se deitar.

Esses horários seriam problemáticos para qualquer um, mas a esposa não enfrentava as mesmas dificuldades. Não estava engordando tanto quanto ele nem se sentia tão letárgica. Ainda não sofrera os verdadeiros problemas de saúde desse tipo de rotina. Por quê? Porque era 12 anos mais nova e mal chegara aos 40. E tinha um tipo de corpo diferente, que naturalmente engorda menos com rotinas pouco saudáveis. Se continuasse com esses horários por muito mais tempo, é provável que começasse a ter alguns distúrbios, como insônia e fadiga mental, mas que provavelmente só se manifestariam dali a alguns anos.

O ritmo circadiano do corpo muda ao longo da vida. Nos primeiros meses e anos, o ritmo é um pouco irregular. Como podem atestar os pais insones no mundo inteiro, o recém-nascido não come e dorme estritamente num ritmo diário. Mas logo nos primeiros meses o organismo passa a reagir aos sinais de luz e escuridão. No início da fase adulta, o ritmo circadiano é mais forte. Consegue aguentar certa perturbação e voltar aos trilhos.

Por volta dos 50 anos, época tradicional da menopausa e da andropausa, o ritmo circadiano natural começa a enfraquecer. No fim da meia-idade, as pessoas que foram relativamente saudáveis podem ter ganho de peso súbito e um novo nível de fadiga e confusão mental. Talvez tenham insônia como parte das flutuações hormonais. Você pode achar que essas mudanças são parte natural do envelhecimento, mas não precisam ser. Se prestar atenção em sua rotina diária em todas as fases da vida, pode evitar engordar e se sentir cansado, e fazer bem a transição para as próximas décadas da vida.

Pedi a Marcus que levasse a esposa na próxima consulta, porque ela também teria que ouvir essas informações. Com a convivência diária, os casais costumam criar uma rotina de horários para os dois. Mas juntos eles também podem reagendar suas atividades para melhorar a saúde.

Eles precisavam realizar algumas mudanças cruciais. Marcus teria que se levantar às 6h30 e ir para a aula de *hot yoga*, onde praticaria os exercícios intensos de que seu corpo necessita de manhã cedo. Ao meio-dia, ainda poderiam comer num restaurante, mas a comida teria que ser saudável. À noite, fariam um jantar leve mais cedo, e a esposa achou que até seria mais fácil para ela: uma salada ou legumes salteados, nada complicado. E abririam mão do vinho, a não ser como um deleite no fim de semana.

À noite, desligariam a televisão às 20h30 e ficariam conversando ou lendo até se deitarem, cedo.

Passado um mês, Marcus emagreceu e ganhou vitalidade, enquanto a esposa também perdeu um pouco de peso e teve mais energia. Ficou mais concentrada no trabalho e começou a meditar pela manhã enquanto ele se exercitava.

Prestar atenção no corpo também envolve prestar atenção em sua fase na vida. Quando você passa de uma fase a outra, podem surgir problemas se não ajustar seus horários à novas necessidades do corpo.

As estações ayurvédicas da vida

De acordo com o ayurveda, o corpo se desenvolve em três fases, que imitam as três estações dominantes do ano. Cada estação da vida traz um foco próprio, física e emocionalmente, e precisamos entender cada uma das fases para preparar o corpo para elas.

A fase *kapha* é um período de crescimento que dura do nascimento até por volta dos 20 anos. A *pitta* se caracteriza pela estabilidade e dura do início da idade adulta (por volta dos 20 anos) até os 45 ou 50 anos. A última estação da vida, *vata*, pode começar aos 40 e tantos, mas surge aos poucos depois dos 50. Cada um desses estágios traz desafios físicos e emocionais, mas também boas oportunidades para desfrutar de uma ótima saúde.

A estação *kapha*

A estação *kapha* é como a primavera do corpo. Nos 20 primeiros anos, o corpo constrói ossos e tecidos, e às vezes o ritmo circadiano oscila loucamente na tentativa de encontrar o equilíbrio. Os bebês não nascem com um horário fixo para dormir, mas logo o desenvolvem nos primeiros meses de vida. Aos poucos, o corpo estabelece um esquema em que os hormônios, a pressão arterial, o intestino e os outros sistemas funcionam numa programação diária.

Quem tem filhos adolescentes sabe que eles abandonam os hábitos regulares de sono e vão dormir com as corujas. É impossível arrancá-los da cama pela manhã, e eles dormem até o meio-dia nos fins de semana. Na verdade, alguns pesquisadores afirmam que o verdadeiro fim da adolescência pode ser marcado pela época em que os jovens adultos desistem de ficar acordados até tão tarde. O horário das refeições dos adolescentes também se torna irregular, porque eles anseiam por energia enquanto seu corpo cresce e amadurece.

Quando saem de seu equilíbrio, os adolescentes podem ter dificuldade na escola e doenças inflamatórias, como a acne. Podem adotar hábitos alimentares dos quais será difícil se livrar quando se tornarem adultos, o que então poderá provocar ganho de peso e depressão. Essa é uma época fundamental para apresentar aos filhos uma alimentação saudável, uma boa rotina de sono e muito exercício. Seu corpo em crescimento exige muito combustível, e os músculos precisam se mexer para se desenvolver adequadamente.

Costumo atender pacientes ainda na adolescência com dificuldades na escola e nas amizades e em busca de um propósito na vida. Embora pareça surpreendente, geralmente consigo ligar esses problemas a uma rotina pouco saudável, como ficar acordado até tarde fazendo o dever de casa (ou trocando mensagens enquanto finge fazer o dever de casa) e comer alimentos calóricos e nada nutritivos tarde da noite. Outro culpado é o pouco ou nenhum exercício e a falta de luz natural. A garotada precisa de luz natural durante esses anos importantíssimos de crescimento. Deve ter tempo ao ar livre e uma atividade física, além de uma boa alimentação. A maioria dos pais impõe uma hora de dormir até um certo momento da infância e, então, muitos desistem. Esforce-se para estabelecer uma hora de dormir e um tempo longe dos aparelhos eletrônicos. Isso fará uma enorme diferença na qualidade do sono do adolescente e em suas notas na escola.

Sempre que os pais trazem a meu consultório um adolescente com dificuldades sociais ou acadêmicas, imediatamente me pergunto se seus hábitos diários de saúde estarão sustentando seu crescimento. Para os adolescentes, os hábitos de sono, alimentação e exercício são uma parte importantíssima de sua identidade. Eles se definem pelo que os amigos fazem, mesmo que esses hábitos sabotem seu bem-estar. E resistem aos conselhos sensatos dos pais sobre tomar o café da manhã e se deitar na hora certa sem distrações eletrônicas.

Ashley chegou ao consultório acompanhada pelos pais. Ela frequentava uma escola pública grande e tinha muitos amigos lá, mas de repente suas notas caíram, e os pais estavam preocupados. Algum profissional lhes informara que ela tinha TDAH e eles estavam considerando se a filha precisaria de medicação.

Quando Ashley iniciou o segundo ano do ensino médio, os pais a pressionaram a fazer matérias mais avançadas e se preparar para a faculdade, e essas aulas foram um desastre. Ela começou a tirar notas baixas pela primeira vez na vida e estava se sentindo péssima. Queixava-se de insônia e disse que nunca dormia antes das 2h. Ficava horas se revirando na cama e, quando caía no sono, dormia tão profundamente que não conseguia se levantar pela manhã. Ela concluiu que a insônia resultava de toda a pressão na escola, mas duvidei que essa seria a única causa.

No resto do dia, Ashley tinha uma rotina que muitos considerariam típica de um adolescente. Arrastava-se para fora da cama o mais tarde possível, pulava o café da manhã e passava a manhã com a mente dispersa. Almoçava no refeitório da escola, mais um lanche do que um almoço, com muito pão e amidos que a deixavam sonolenta. Depois da escola, ficava em casa e fugia do dever de casa. Jantava com a família às 19h30 ou 20h, quando os pais voltavam do trabalho e preparavam a refeição. Depois do jantar, relutante, ela ia fazer o dever de casa até as 22h e trocava mensagens com os amigos ou assistia a vídeos no YouTube até as 23h ou 23h30. Então ficava acordada na cama, esperando adormecer, enquanto temia o dia seguinte na escola.

Esses horários são comuns entre os adolescentes. Alguns saem à noite, vão ao shopping ou a uma lanchonete e ficam lá até 22h30 ou 23h; então voltam para casa e não entendem por que não conseguem dormir. Eis o que digo aos pais que estão tentando estabelecer uma rotina saudável para os filhos:

TORNE O TEMPO SOCIAL UM TEMPO DE EXERCÍCIO FÍSICO. Para mim, é desanimador ver os jovens absortos com seus smartphones ou entediados na frente da TV enquanto o sol brilha lá fora. Para muitos adolescentes, uma ida ao shopping é a ideia que fazem de socialização e exercício. Aconselho algum tempo ao ar livre fazendo algo atlético, mesmo que seja uma caminhada depois da escola. Na adolescência, os jovens fariam bem em praticar um esporte ou fazer aulas de alguma atividade física. Artes marciais são uma ótima opção.

Felizmente, Ashley adorava jogar tênis, então sugeri que frequentasse diariamente um parque local ou um clube de tênis só para bater algumas bolas. Ela chamou algumas amigas e passou a jogar cerca de uma hora ou uma hora e meia todo dia, depois da escola. O jogo a renovava.

O exercício proporciona a crianças e adolescentes uma pausa depois das longas horas de aula. Alguns adolescentes precisam de bastante exercício para reajustar seu humor e sua frustração. Se for praticado pela manhã, ajuda a eliminar a letargia matinal. Quando acordamos com energia, somos mais capazes de dormir bem à noite. Ashley tinha dificuldade de acordar pela manhã, por isso lhe pedi que usasse a esteira durante uns 20 minutos. Ela se levantaria às 6h, se exercitaria na esteira e tomaria um banho. Quando chegasse à escola, estaria bem acordada e concentrada.

Chega de cereais matinais de flocos de milho. Os flocos de milho são apenas um petisco glorificado, assim como as barras de granola e aqueles potinhos de iogurte adoçado. Essas opções dão uma dose de energia que despenca em menos de uma hora. A maioria das crianças precisa de grãos e cereais integrais cozidos ou alguma proteína. Prepare um mingau de aveia, acrescente nozes, castanhas e frutas, e as crianças estarão preparadas para as três ou quatro primeiras horas de aula. Depois que Ashley adotou a rotina de exercícios, banho e um prato de mingau de aveia, encarar as aulas de manhã ficou muito mais fácil.

Elimine agora o hábito de consumir açúcar e farinha de trigo. Muitas crianças e adolescentes chegam com fome da escola, e é fácil fazerem lanches com pães, bolos e doces. Às vezes, os adolescentes recorrem ao café ou ao refrigerante com cafeína depois da escola para atenuar a exaustão mental. Os pais têm dificuldade para administrar isso, porque podem estar trabalhando ou distraídos, e é complicado estabelecer regras quando os filhos estão inquietos e irritados. Ashley também se alimentava assim, por tédio. Comia biscoitos e tomava refrigerante a tarde toda, e depois se empanturrava de pão no jantar em vez de consumir alimentos não processados.

Na primeira fase da vida, não nos preocupamos muito com as calorias, porque as crianças precisam de muita energia para funcionar e crescer.

Mas à tarde e à noite é bom que comam alimentos nutritivos, senão ficarão irritadas e distraídas, mesmo que de barriga cheia. Como essa é a fase da vida em que o corpo e o cérebro estão crescendo, crianças e adolescentes precisam de uma boa nutrição como combustível. Tive que dizer a Ashley que parasse com os biscoitos e o pão no jantar. E nada de bebidas açucaradas. Os pais poderiam providenciar potes cheios de cenoura fatiada, aipo e tomatinho-cereja para ela comer com um pouco de molho. E deixariam sempre muitas frutas à mão. Esses seriam seus lanchinhos, acompanhados de muita água.

INSTITUA O TOQUE DE RECOLHER DAS TELAS. Agora é a hora de fazer crianças e adolescentes saberem que precisam se afastar de estímulos eletrônicos à noite. Alguns pais confiscam os celulares às 21h, outros restringem a televisão. É essencial que haja um toque de recolher dos aparelhos eletrônicos. Além disso, alguns jovens precisam de mais ajuda para relaxar. Talvez seja melhor tomarem banho perto da hora de dormir, para a água morna acalmá-los. Outros podem beber um pouco de leite morno enquanto leem. Ashley tentou a massagem com óleo. Como tem sono naturalmente leve, ela passou a massagear os pés e as mãos com óleo, e isso a ajudava a descarregar o estresse diário. Depois, ela lia e apagava a luz às 22h ou 22h15. Após uma semana seguindo esse horário, ela conseguiu adormecer com muito mais facilidade. Em um mês, tinha recuperado suas notas e seu humor. Esse é o milagre da fase *kapha* da vida. Pequenas mudanças fazem uma grande diferença bem depressa.

A estação *pitta*

A estação *pitta* é o verão do corpo. Você tem muito ímpeto e energia nesses anos e um desejo real de realizar coisas. Entre os 20 e os 50 anos, seu corpo amadureceu e seu ritmo circadiano encontrou seu compasso.

Dos 20 aos 30, a digestão é mais forte do que nunca, e o metabolismo está a pleno vapor. Algumas pessoas conseguem desafiar as necessidades do corpo ficando acordadas até tarde, comendo mal ou se recusando a praticar exercícios, embora poucas consigam se sair bem fazendo os três. Esse período dourado de saúde aparentemente sem esforço começa a se esvair dentro de uma década, se é que realmente existiu.

Alguns tipos de corpo têm mais probabilidade de engordar mesmo durante esses anos, enquanto outros são propensos a insônia ou a se viciar em trabalho. Essa é a época da vida em que seu corpo será mais complacente com as perturbações, porque o ritmo circadiano é mais forte. Mas você ainda precisa estabelecer uma rotina adequada para manter o organismo ajustado, ter mais concentração no trabalho e uma noção maior de propósito na vida. E manter-se nos trilhos agora vai prepará-lo para envelhecer bem nas décadas seguintes.

É na primeira parte da estação *pitta* que as pessoas estão mais propensas a ficar obcecadas com alguma coisa. Entregam-se a uma paixão ou um projeto de trabalho específico e se esquecem de cuidar do corpo. Às vezes, o corpo se revolta. Foi o que aconteceu com Jamal, um desenvolvedor de software de 26 anos. Você provavelmente consegue adivinhar sua rotina: muito trabalho, muita comida pronta entregue em casa, praticamente nenhum exercício. Sua cozinha era um ambiente estéril. O forno nunca tinha sido usado. Nenhuma hortaliça fresca jamais tocara o interior da geladeira. Em vez disso, ela era cheia de condimentos, bebidas energéticas e cerveja.

Ele achava ótima sua capacidade de virar a noite para terminar um projeto e nunca pensava duas vezes na hora de devorar um pacote de batatas chips de uma vez. Mas estava notando que seu cabelo rareava no alto da cabeça. O queixo duplo fazia com que não se sentisse atraente. Acordava às 4h, incapaz de voltar a dormir. E sentia as articulações rígidas e uma letargia da qual não conseguia se livrar.

Seu médico o mandaria fazer um exame de sangue, lhe diria que mudasse a alimentação e provavelmente o avisaria de que estava no caminho das dificuldades metabólicas. Mas esse tipo de desequilíbrio *pitta* tem raízes mais profundas.

Se estiver nessa fase da vida, você tem que olhar seus hábitos de saúde de forma holística. Seu corpo funciona com um ritmo central, e todos os seus hábitos diários afetam esse ritmo. Quando exagera no trabalho, na comida, no entretenimento ou numa relação, você deixa o corpo todo descompensado numa época da vida em que deveria querer sustentar a vitalidade juvenil em vez de sabotá-la. Manter hábitos saudáveis agora trará dividendos durante décadas. Eis algumas orientações para manter o equilíbrio:

ESCOLHA SEUS AMIGOS COM CUIDADO. Se tiver problemas de sono e alimentação entre os 20 e os 40 anos, observe seus amigos. Olhe para as barriguinhas que o cercam, porque provavelmente você está comendo o que seus amigos comem. Está se exercitando quando e se eles se exercitam e estabelecendo sua hora de dormir em torno dos horários sociais ou da vida profissional. Quando adolescente, você tinha a influência moderadora dos pais, mas na faculdade e depois você é influenciado pelas pessoas com quem passa seu tempo. Isso inclui parceiros românticos. Você também se sente obrigado a seguir a cultura de seu local de trabalho. Tome cuidado. Poucas pessoas conseguem realmente resistir às tentações apresentadas por amigos e colegas de trabalho.

No caso de Jamal, seu emprego priorizava longas jornadas, comer muito e depressa e nenhum exercício. Nos fins de semana, ele saía com os colegas de trabalho para barzinhos, tomava cerveja e comia pizza. Ele precisava entrar para uma academia e conviver com pessoas que pusessem em primeiro lugar a boa forma física, gente que já valorizasse a alimentação saudável. Passado um tempo, ele se uniu a um grupo de colegas que adoravam o ciclismo competitivo, que também se tornou sua paixão.

Costumo dizer às pessoas de 20 e poucos anos que elas devem encontrar amigos que estejam em um nível mais elevado, ou seja, sair com pessoas que já façam o que você gostaria de fazer na vida e que já estejam vivendo com saúde. Siga esse conselho e será muito mais fácil mudar seus hábitos.

EQUILIBRE OS EXERCÍCIOS COM ALONGAMENTOS. Algumas pessoas de fato se envolvem com exercícios na fase *pitta*, porque o interesse é natural. O corpo é mais forte, e você pode se forçar sem o mesmo medo de lesão ou exaustão que enfrentará mais tarde. Um grande erro, porém, é participar de corridas de 5 quilômetros ou treinamento de triatlo sem reservar um tempo para respirar e se alongar. Você está ativo o tempo todo nessa fase da vida, sempre encaixando mais coisas à sua agenda. Isso é bom, mas reservar um tempo para se alongar manterá seus músculos flexíveis na segunda metade dessa fase. Se sofrer uma lesão com 30 e poucos anos por fazer muitas coisas depressa demais, você verá que sua boa forma não vai durar. Se isso acontecer, a motivação para se exercitar certamente também vai sumir.

Jamal encontrou uma aula de *power yoga* específica para corredores e adorou. Qualquer tipo de ioga ou programa de alongamentos também daria certo. Naqueles longos dias de trabalho, ele passou a fazer uma caminhada depois do almoço para pegar sol e esticar as pernas. Com isso, está cuidando do corpo de que precisará durante décadas.

PRESTE ATENÇÃO NA HORA DE DORMIR. A fase *pitta* é a época perfeita para a insônia, porque os horários de trabalho e as atividades da família ficam mais intensos. É fácil dizer que você pode compensar dormindo até mais tarde nos fins de semana, mas ficar atento à hora de dormir agora trará benefícios enormes para você no trabalho e nos relacionamentos. Sim, haverá meses em que os horários do bebê interferirão na sua rotina ideal. Sim, você terá prazos no trabalho e viagens que não podem esperar. Tudo isso é normal e temporário. Nessas épocas estressantes, recorra à meditação; apenas 15 minutos de repouso com atenção plena todo dia manterão sua mente afiada. Quando a crise passar, escute seu corpo e garanta tempo à noite para relaxar e conseguir apagar a luz às 22h.

FAÇA UM DETOX REGULARMENTE. Isso pode significar várias coisas. No início da estação *pitta*, é bom aprender a preparar pratos saudáveis, para minimizar os pedidos de comida pronta. Recorrer demais ao delivery ou às refeições congeladas do supermercado vai levá-lo ao envelhecimento precoce. Jamal teve que aprender a comprar ingredientes para saladas simples e adquiriu uma panela elétrica para preparar sopas e ensopados. Reservar um tempo para isso o pôs em contato com o próprio corpo. Ele também precisou de limpezas sazonais para reajustar o metabolismo. Algumas pessoas têm que fazer a limpeza sazonal em todas as mudanças de estação, ao passo que outras podem fazê-la uma vez por ano, na época em que têm mais dificuldade. Mesmo que não realize a limpeza completa com óleo de rícino, você pode usar a dieta detox durante cerca de uma semana na mudança de estação para ajudá-lo a ver como anda sua alimentação e se manter no caminho certo.

Depois de três meses realizando mudanças simples na alimentação e na rotina de exercícios e dormindo bem, Jamal era um novo homem. Disse que se sentia mais saudável do que nas épocas do ensino médio e da faculdade.

A estação *vata*

Essa estação do fim do outono da vida se infiltra devagar. Algumas pessoas notam seus efeitos físicos com 40 e tantos anos, ao passo que outras a sentem aos 50 e poucos. Talvez você repare primeiro que sua visão muda e que precisa de óculos para perto. O metabolismo desacelera, e fica mais difícil emagrecer ou manter o peso. Talvez você tenha problemas metabólicos e sua glicemia e sua pressão arterial subam. A pele pode ficar mais seca, e os músculos não apresentam mais o tônus firme que já tiveram.

Talvez o médico diga que nessa época tais mudanças são naturais e esperadas, e são mesmo. Mas você pode atrasar sua chegada (e manter uma alta qualidade de vida quando chegarem) atentando para o ritmo natural de seu corpo. É nessa época que sua rotina diária pode retardar ou acelerar o processo de envelhecimento. Seu ritmo circadiano também está enfraquecendo, o que significa que horários irregulares para comer, dormir e se exercitar perturbam ainda mais seu corpo. Uma rotina constante reforça os sistemas do organismo à medida que você envelhece.

Quando os pacientes nesse estágio vêm ao meu consultório, eu os ponho numa balança especial que mede vários fatores da composição do corpo, como peso, gordura corporal, IMC, músculos esqueléticos e metabolismo em repouso. Com essas medidas, a balança então calcula a idade aproximada do corpo. Às vezes as pessoas ficam chocadas ao saber que as medições do corpo indicam que sua idade biológica é 8 ou 10 anos acima da idade cronológica. É o toque de despertar de que precisam.

Sei que meus pacientes podem se sentir com 50 anos quando na verdade têm 70, mas a maioria vai no sentido oposto. Depois que sobem em minha balança, às vezes os pacientes descobrem que sua idade corporal aproximada é de 65 anos quando, de fato, têm 50 e poucos. Eles veem claramente que os quilos a mais, a pressão arterial acima do normal e a letargia diária não são parte normal do processo de envelhecimento. Em vez disso, são sinais de alerta de que o corpo está envelhecendo mais depressa do que deveria. Depois de alguns meses com uma nova programação diária, eles voltam à balança e observam os anos retrocederem. Você pode fazer o mesmo.

CONECTE-SE COM O SEU CORPO. A estação *vata* é uma época natural de reflexão. Você olha a vida que construiu e as conexões que fez e se sente bem com tudo o que realizou até agora. Não desiste de estabelecer mais metas. Longe disso. Mas essa é a época de renovar seu propósito e escolher com sabedoria como empregar seu tempo.

É importante estender ao corpo essa reflexão. As pessoas que envelhecem devagar são as que prestam atenção nos sinais do corpo e não a seus desejos momentâneos. Isso significa descansar quando estiver exausto, fazer mais exercício quando se sentir letárgico. Também inclui dar uma boa olhada na alimentação e em outros hábitos que possam estar lhe fazendo mal. A prática regular de meditação faz muita diferença aqui. Quando se concentra na respiração e no corpo durante apenas 15 minutos por dia, você escuta ativamente os sinais que seu organismo lhe manda sobre quais são os alimentos mais benéficos e quais os que drenam sua energia. Você também precisará de menos horas de sono à noite – não para ficar acordado até tarde, mas para poder se levantar mais cedo pela manhã.

MANTENHA O EQUILÍBRIO. Isso significa algumas coisas. A mais óbvia é fazer atividades físicas que exijam equilíbrio e flexibilidade. Muitas posturas de ioga melhoram o equilíbrio, assim como exercícios isométricos e aeróbicos, como pular corda. A flexibilidade faz parte do equilíbrio, portanto alongue-se regularmente. A capacidade de tocar os dedos dos pés ou de ficar num pé só podem não parecer muita coisa para quem tem 15 anos, mas são habilidades que você vai querer preservar. Você não poderá caminhar, pedalar, jogar tênis ou levantar pesos se perder o equilíbrio ou a flexibilidade. Mas aqui equilíbrio também significa manter a estabilidade emocional.

Depois dos 50 anos, é preciso ouvir o corpo com mais frequência, saber quando se sente irritado ou ansioso, perceber como as viagens o afetam e cultivar a prática de restaurar o equilíbrio físico depois de épocas caóticas ou estressantes. Nesse momento da vida, você acumulou muita sabedoria sobre como se comporta no mundo e o que o tira do centro. Use esse conhecimento para repousar quando for preciso e para aliviar o estresse com meditação e reflexão.

Reduza as inflamações. Acredita-se que a inflamação generalizada de baixo grau contribua para todos os tipos de doença ligada à idade, como demência, cardiopatias e câncer. Se toma analgésicos diariamente, é provável que alguma forma dessa inflamação generalizada esteja se instalando em suas articulações. Para reduzir a inflamação, é preciso manter o peso sob controle, ter uma alimentação saudável e regular o nível de estresse. Seu corpo também demandará mais tempo para se recuperar de atividades físicas intensas. Planeje bastante repouso entre as sessões de exercício para evitar lesões e não precisar de analgésicos. Quando necessitar de apoio adicional para reduzir a inflamação, tome suplementos de cúrcuma. A cúrcuma ajuda a reduzir a necessidade de ibuprofeno e, sem dúvida, é mais saudável para o estômago.

Evite a desidratação. Os tecidos do corpo terão menos capacidade de reter líquido com a idade. Você notará isso principalmente na pele mais seca, mas o corpo inteiro será afetado. Talvez seja uma boa hora de reduzir a ingestão diária de café e chá que contenha cafeína, que podem secar ainda mais o organismo. Siga uma alimentação que inclua gorduras saudáveis para lubrificar os ligamentos e as articulações e experimente as massagens com óleo como uma excelente forma de levar óleos saudáveis à pele e ao corpo. Dois pacientes meus se mudaram para o Arizona quando tinham 40 e poucos anos e adoraram o clima quente e seco. Mas, quando fizeram 70, passaram a detestar o calor, e me disseram que não conseguiam nem se forçar a olhar a paisagem árida pela janela. Para mim, ficou claro que a desidratação do clima os afetava de um modo diferente de quando eram mais novos. Finalmente, eles se mudaram para a Flórida, onde também faz calor, porém com manhãs frescas e muita umidade. O humor e a saúde melhoraram drasticamente. A desidratação pode se infiltrar de várias maneiras, por isso é tão importante entender as necessidades do corpo.

SIMPLIFIQUE A ALIMENTAÇÃO. Se ainda come como se estivesse na estação *pitta* da vida ou mesmo na *kapha*, você sofrerá as consequências agora. Nessa época, muita gente tem azia, intolerância à lactose, sensibilidade a determinados alimentos ou ganho de peso súbito. É o corpo sinalizando que sua alimentação não o nutre mais do jeito que deveria. Talvez você se sinta mais letárgico depois de uma refeição mais substanciosa. Em alguns casos, essa sensação de peso vai durar dias depois do evento. Digo às pessoas que um homem de 20 anos pode comer um bom bife e só sentir o efeito por algumas horas. Um homem de 45 comerá algumas fatias da mesma carne e sentirá o efeito por alguns dias. Um homem de 70 pode dar apenas algumas garfadas e sentir o efeito por duas semanas. O fogo digestivo está ficando naturalmente mais fraco, o que significa que você precisa de menos calorias e menos carne para se manter robusto. Pode fazer refeições menores e mais leves e se sentir satisfeito. É importante ver com desconfiança laticínios, açúcar e farinha de trigo. Essa é a época de realizar as limpezas sazonais quatro vezes por ano e praticar o jejum suave, no qual você deixa de jantar uma vez por semana. Como sente menos fome nesse estágio da vida, sua alimentação pode refletir isso com a redução do tamanho das porções.

Ao seguir essas orientações, você será capaz de atender às novas necessidades de seu corpo *vata* e, à medida que o ritmo circadiano ficar mais fraco, manter-se forte em sua rotina diária saudável. Tenho pacientes que se sentem jovens e vibrantes com mais de 70 anos. São ocupados e ativos, administram seus negócios e ainda gostam de uma vida social movimentada. Isso, sim, é reverter o envelhecimento.

Somos sempre estimulados a ver a idade como uma característica que define a identidade: o aniversário que se aproxima ou é algo a comemorar ou algo a temer. Mas, em vez de se concentrar na idade biológica, você pode e *deve* pensar em termos de sua estação na vida e no que pode fazer para colaborar com o amadurecimento natural do corpo. Lembre-se de que o seu bem-estar não é determinado apenas pela idade, e há muito que você pode fazer para atrasar e até reverter os aspectos negativos do envelhecimento.

Independentemente de sua idade, você precisa reservar um tempo para ouvir o seu corpo e avaliar sua saúde. Se fizer isso, acumulará sabedoria sobre as necessidades de seu organismo, suas metas e seu propósito de vida com o passar dos aniversários. E essa sabedoria será sua para sempre.

12

COMO CONSTRUIR O DIA PERFEITO

● ○ ◐ ●

A decisão de mudar o estilo de vida é um desafio para todos. Presidentes de grandes empresas afirmam que não podem deixar de trabalhar 16 horas por dia e de viajar pelo mundo todo, senão sua carreira desmorona. Atletas de elite alegam que não têm como parar de treinar em excesso nem interromper a busca contínua por patrocinadores porque não serão quem são se não continuarem fazendo tudo o que fizeram no passado. Todo tipo de pessoa me diz que não tem tempo para se exercitar antes de sair para trabalhar, que não consegue parar para almoçar longe da mesa de trabalho ou que não vai abrir mão da TV tarde da noite. Os hábitos se tornam parte de nossa identidade, e tentar algo novo assusta.

É preciso lembrar que você não desenvolveu sua rotina e suas más escolhas alimentares de repente. Seu cronograma diário evoluiu com o passar dos anos, talvez das décadas. Alguns de seus hábitos surgiram como estratégias para lidar com o estresse, um meio de achar consolo numa vida caótica. Mas você pode buscar um nível mais profundo de segurança questionando esses hábitos um a um.

Se você for como a maioria dos meus pacientes, terá uma lista de razões para manter sua vida exatamente como é, mesmo que esteja infeliz. Quer emagrecer, mas sua mente lhe diz para se agarrar à alimentação habitual porque ela é reconfortante. Quer dormir mais, mas acredita que merece algumas horas para relaxar no fim do dia. Talvez esteja curioso com a ideia de que o exercício lhe dará mais energia, mas sua mente interfere outra vez e afirma que não há tempo para isso. Na verdade, o que sua mente está lhe informando é que você não merece mais saúde, mas merece, sim. Independentemente de como tenha vivido no passado, você merece se sentir melhor agora. Decidir mudar é a parte mais difícil.

A esta altura, deve ser fácil imaginar o nível de boa saúde que você pode atingir se abandonar os hábitos pouco saudáveis e se sintonizar com o seu corpo. No entanto, saber o que acontece no corpo não quer dizer que a mudança será fácil e conveniente. Foi o caso de Rowena. Com pouco mais de 1,50 metro de altura e 108 quilos, clinicamente deprimida e engordando sem parar, sua rotina diária literalmente a estava matando. Por trabalhar no turno da noite, ela voltava para casa às 8h e comia biscoitos doces industrializados no café da manhã enquanto assistia à TV. Então ia fazer compras para sair um pouco de casa. No shopping, almoçava na praça de alimentação – uma lanchonete diferente a cada dia. À tarde, ela cochilava de forma intermitente até as 20h. Então, aquecia uma comida congelada e ia trabalhar levando uma garrafa térmica grande de café para se manter acordada.

Sua saúde corria perigo, e ela sabia disso. Ainda assim, citou várias razões para não poder mudar nada. Como a maioria das pessoas, estava apegada aos antigos hábitos e à sua alimentação porque achava que eles lhe davam o único prazer com que podia contar, ainda que seu estado de saúde a deixasse infeliz. Mesmo depois que entendeu que poderia usar o ritmo do corpo para emagrecer e aumentar o nível de energia, ela teve medo de mudar. Parecia intimidada com a ideia de implementar uma nova rotina, que exigiria muitas mudanças cotidianas e uma alimentação totalmente nova. Era muita coisa para apreender. Achei que nunca mais a veria.

Pouco mais de 15 dias depois, ela voltou. Perdera 4 quilos, algo que nunca conseguira com nenhuma outra dieta. Parou de ir ao shopping e começou a caminhar na praia toda manhã para se exercitar. Decidiu sair do emprego e trabalhar em meio expediente durante o dia para dormir à noite. Foi uma decisão difícil, mas seus novos horários renovaram sua energia. Mais importante, deram-lhe algum controle sobre a própria vida. Pela primeira vez em anos, ela sentiu que tinha poder sobre seus anseios alimentares.

Vi isso como o início da mudança real de Rowena. Mas o fundamental foi que ela também começou a ver essa possibilidade. Passou a comer melhor, uma refeição de cada vez. Resolveu se exercitar todo dia. Escolheu novas maneiras de empregar seu tempo no trabalho. E sua vida já estava se expandindo de um jeito que ela jamais imaginara. Essa é a questão. Incluo esse exemplo aqui porque decidir transformar seus hábitos dia após dia pode se converter numa enorme mudança de perspectiva. É óbvio que algumas alterações são mais fáceis do que outras, mas mudar a vida é um processo, e é bom começar o mais cedo possível.

O dia perfeito

Imagine um dia estruturado com perfeição, um dia em que você sabe que vai cuidar do corpo assim que abrir os olhos. Vai se exercitar sem precisar de motivação extra e sem exagerar. Vai comer bem sem esforço, sabendo que se sentirá leve e energizado o dia todo sem passar fome. Sabe quando vai meditar para se reequilibrar e lidar com qualquer tipo de estresse. Percebe que será capaz de enfrentar desafios no trabalho e, no fim do dia, se sentirá agradavelmente cansado, de modo que, quando desligar o abajur da mesa de cabeceira, estará pronto para relaxar até o sono chegar.

Tudo isso é possível desde que você alinhe os sistemas do organismo ao seu ritmo circadiano natural. Esta é a verdadeira meta: a capacidade de comer, dormir e se exercitar na hora certa todo dia para que os hábitos não exijam um esforço extra. Ter bem-estar e cuidar de si mesmo se tornam um modo de vida intuitivo e fácil. Para muitas pessoas com quem trabalhei, manter uma rotina saudável na verdade cria tempo extra no dia para passar com a família, praticar suas atividades favoritas e encontrar novos relacionamentos.

Se está se perguntando como chegar a esse lugar místico, a resposta é: faça isso em etapas. Você vai construir esses hábitos pouco a pouco, sabendo que os primeiros passos podem exigir algum esforço, mas que logo você se sentirá mais leve e mais vivo. Alguns pacientes cuja história contei neste livro precisaram de muita ajuda concentrada para pôr a vida nos trilhos. Mas, assim que começaram, acharam cada passo seguinte mais fácil. Após um mês tentando mudar a hora de se deitar e de comer, descobriram muitos benefícios. Mais tempo livre, mais criatividade para se concentrar nas metas pessoais. Ganharam uma aparência radiante e uma energia que não tinham havia anos. O bem-estar intuitivo e fácil está ao alcance de qualquer pessoa.

A questão é como chegar lá. Agora que sabe de que seu corpo precisa, você pode trabalhar para estabelecer seus novos horários em etapas. A princípio, adote uma rotina que reforce o ritmo circadiano natural do corpo. Essa é a fase que exigirá mais preparação e criatividade de sua parte para viver de maneira um pouco diferente, mas trará dividendos na fase seguinte, quando ficará mais fácil seguir a nova programação. Na segunda fase, as pessoas começam a notar a perda de peso, o aumento da clareza mental e a melhora drástica da saúde. Na terceira fase, reunimos todos os conceitos deste livro para que você nutra com facilidade o corpo, a mente e a saúde espiritual.

PREPARANDO-SE PARA A MUDANÇA

Sempre que estou orientando um novo paciente, há um momento em que mostro os novos horários para suas atividades cotidianas e pergunto: você consegue fazer isso? Se o paciente hesitar, pergunto: qual é sua maior resistência?

É importante admitir qual parte da nova rotina lhe parece mais problemática. Para cada um é diferente. Alguns dizem que acham que não conseguem evitar os e-mails de trabalho à noite. Outros, que não querem fazer uma refeição mais leve no fim do dia porque é a única oportunidade que têm de relaxar com bastante comida e vinho, depois de todo o estresse do trabalho. Alguns fazem objeção aos exercícios matinais porque a manhã já é corrida demais. Mas, depois de saber qual é a sua resistência, é possível procurar um modo criativo de enfrentá-la. Fique atento às possíveis dificuldades e se organize antes de começar. Descubra quais partes da nova programação diária serão mais complicadas para você e siga algumas destas dicas e truques para facilitar sua transformação:

SE O EXERCÍCIO PELA MANHÃ É O PROBLEMA... Antes de dormir, separe as roupas de exercício e de trabalho. Deixe organizados também os ingredientes e a louça de que vai precisar no café da manhã para ganhar tempo no preparo. E se ainda assim achar que não vai ter tempo suficiente nem para uma simples caminhada, ajuste o despertador para cinco minutos mais cedo a cada dia. Em apenas quatro dias, você terá criado esse tempo.

SE A DIFICULDADE ESTÁ NO ALMOÇO... Faça uma marmita substancial para levar para o trabalho e lembre-se de que o almoço maior significa um jantar de preparo menos complicado. Programe o alarme do celular para nunca se esquecer de almoçar na hora certa.

SE NÃO SABE COMO COMER MENOS NO JANTAR... Procure algumas opções fáceis e saudáveis de jantar às quais possa recorrer na primeira fase para terminar sua refeição noturna mais cedo. Você pode até prepará-la com antecedência se souber que a semana será caótica no trabalho. Crie uma lista de compras padrão que contenha muitos legumes, verduras, grãos e cereais saudáveis.

SE A IDEIA DE ABRIR MÃO DOS ELETRÔNICOS À NOITE O DEIXA ANSIOSO... Planeje atividades noturnas que não incluam TV nem computador. Pense bem se as mensagens ou e-mails que recebe depois das 21h realmente precisam de resposta imediata.

Se você empregar um pouco de criatividade e planejamento na sua nova rotina antes de começar, evitará a recaída nos velhos hábitos depois dos primeiros dias. No fim da primeira semana, terá notado melhoras físicas e emocionais suficientes para manter-se no caminho.

Primeira fase: Equilíbrio

Durante a primeira semana ou os primeiros 10 dias, concentre-se em se reconectar com o ritmo circadiano natural do seu corpo. Isso significa levantar-se na hora certa, ir dormir na hora certa e fazer sua maior refeição ao meio-dia e outra menor no início da noite.

Você também introduzirá um pouco de exercício físico de manhã cedo. Se puder ir à academia, ótimo. Se não, tente sair para uma caminhada ou faça alguns exercícios em casa. Muitos pacientes meus têm uma esteira velha que ficou vários anos ociosa. Agora é hora de usá-la para uma caminhada intensa ou uma corrida lenta, de 10 a 20 minutos. Lembre-se: você não está visando a queima de calorias ou gordura. Seu objetivo é manter o pulmão respirando fundo e produzir um pouco de suor. Essa é sua oportunidade de promover o *prana* e lembrar ao corpo que o dia começou. Se gosta de se exercitar intensamente, vá em frente e faça todas as suas atividades físicas pela manhã.

Esforce-se para acertar o horário das refeições. A princípio, é provável que você precise pôr um alarme para se lembrar de comer o café da manhã, o almoço e o jantar na hora certa, mas no fim dessa fase sua fome será um sinal natural, e a programação parecerá mais confortável. Você se acostumará à rotina matinal de se levantar e se mexer, seguida pela refeição e, então, a ida para o trabalho.

O ritual noturno também se tornará natural. Na primeira noite, talvez você fique inquieto sem a TV e as distrações costumeiras no computador. Volte-se para algum projeto pessoal que vem adiando. Faça um agrado a si mesmo com cuidados pessoais ou um banho relaxante. Desfrute desse momento, e ele logo se tornará a melhor parte do seu dia.

Também é importante encontrar tempo para um pouco de atenção plena. Você pode verificar o pulso algumas vezes por dia. Apenas sente-se e o sinta. Ou pode se sentar na cama pouco antes de dormir, fechar os olhos e deixar a mente devanear enquanto respira profundamente. Também pode escrever em seu diário no fim do dia. Qualquer uma dessas coisas vai colocá-lo no caminho de se reconectar com o seu corpo.

Na primeira fase, seu dia será mais ou menos assim:

6H – Levante-se. É importante começar o dia na hora certa.

6H15 – Desperte o corpo com 20 minutos de exercício acelerado. Nesse momento, você está apenas se acostumando com a ideia de se levantar e se mexer logo cedo.

7H – Prepare um café da manhã frugal. Escolha mingau de aveia, uma vitamina ou ovos com legumes cozidos no vapor. Termine a refeição até as 8h30 e planeje não comer mais nada – nem mesmo tomar chá ou café – até o meio-dia.

12H – Faça um almoço substancial perto do meio-dia, mas tome o cuidado de comer à mesma hora diariamente. Ative o alarme do celular, se precisar de um lembrete. Essa deve ser a maior refeição do dia. Lembre-se de verificar seu pulso antes e depois de comer.

12H30 – Tente fazer uma breve caminhada depois do almoço ou fique algum tempo ao ar livre para receber luz natural. Não se trata de exercício em si, apenas movimentos suaves que vão ajudar a digestão. Sente-se perto de uma janela, se não puder sair.

13H – Reabasteça sua garrafa de água e faça um chá de ervas. Reafirme a intenção de evitar lanchinhos à tarde.

18H30 – Jante uma refeição leve. Concentre-se em legumes e verduras e, talvez, uma pequena porção de proteína. Evite arroz, pão, açúcares simples. Tente consumir umas 500 calorias nessa refeição. Se ainda estiver no trabalho, coma lá mesmo. Se o jantar atrasar por causa do deslocamento para casa, lembre-se de reduzir as porções de acordo. Quanto mais tarde comer, menor deve ser a refeição. A última ingestão de qualquer alimento deve ser feita até as 20h. Você precisa de pelo menos duas horas depois do jantar para se preparar para dormir.

20H30 – Mande as últimas mensagens e e-mails da noite e desligue o computador, o celular e a TV. (Grave seus programas favoritos para assistir depois, se for preciso.) Assim começa sua rotina noturna de ler, meditar, tomar banho, escrever em seu diário ou o que você quiser fazer. É seu momento de relaxar e se acalmar.

22H30 – Apague as luzes. Mesmo que tenha dificuldade de adormecer nas primeiras noites, respire fundo e relaxe enquanto espera o sono chegar.

Você se lembrou de:

- Verificar o pulso várias vezes por dia? Não é preciso procurar um padrão. Apenas aprecie seus batimentos cardíacos e observe o seu corpo. Faça isso ao acordar e antes de apagar as luzes.
- Fechar os olhos e respirar fundo algumas vezes ao se sentir estressado? Descarregar o estresse torna mais fácil resistir à busca de distrações, como comidas calóricas ou o celular. Acalma a mente e reajusta o corpo.
- Perguntar como seu corpo se sente depois de cada refeição? Se ajudar, anote em seu diário da comida. Sua intenção é fortalecer a conexão corpo-mente.

ERVAS PARA A PRIMEIRA FASE

É mais comum ter uma consciência maior dos hábitos alimentares do que dos movimentos do intestino. Mas não se pode só prestar atenção no que entra no sistema; é preciso produzir algo na outra ponta. Sua ingestão e sua excreção são medidas da boa saúde. As ervas *triphala* e *trikatu* auxiliam esse processo e podem ser facilmente encontradas em lojas on-line.

Triphala. É um suplemento usado há milhares de anos no ayurveda. Significa "os três frutos", porque é uma mistura do pó de três bagas. Embora seja famoso como laxante suave, ele realmente incentiva a desintoxicação do corpo e do intestino. Ajuda a regular a glicemia e alivia a prisão de ventre. Tomar cerca de 1.000 mg toda noite contribui para regular os movimentos intestinais, de modo que você vá ao banheiro logo cedo e prepare a digestão para mais nutrientes.

TRIKATU. Este suplemento melhora a digestão e permite que você absorva melhor os nutrientes do que come. A fórmula contém três temperos e costuma ser chamada de "as três pimentas". Enquanto o *triphala* ajuda a digestão no intestino grosso, o *trikatu* ajuda a despertar a digestão no estômago e no intestino delgado. Tome 500 mg depois do almoço e depois do jantar.

Fique de 7 a 10 dias na primeira fase, até se sentir à vontade em organizar o dia em torno dos horários de dormir e comer, com um pouquinho de exercício logo cedo. Você notará que começa a sentir sono na nova hora de dormir. Talvez passe a perceber que não tem tanta fome na refeição noturna. Também deverá estar acordando cedo mais naturalmente. Algumas pessoas dizem que o corpo logo fica mais leve e que o funcionamento do intestino muda. Talvez você comece a ter movimentos regulares pela manhã na primeira semana, mesmo se nunca os teve.

Segunda fase: Cura

Nessa fase, vamos fazer um ajuste fino nos seus horários, acender sua digestão e aprofundar seu sono à noite. Buscamos uma rotina sem esforço, algo que seja saudável e pareça natural. É nessa fase que você começará a ver a perda de peso, e também será a hora de prestar atenção nos anseios alimentares para não sair dos trilhos.

Toda vez que for ao supermercado, escolha alimentos frescos e afaste-se dos industrializados. Também acrescentamos algumas técnicas de atenção plena para você fazer a conexão entre seus novos horários e o modo como se sente durante o dia. Se puder, levante-se da mesa de trabalho várias vezes durante o expediente e saia para uma caminhada rápida; assim, você será mais exposto à luz natural e incluirá algum movimento em seu dia. Nessa fase, você verá os verdadeiros benefícios à saúde de pôr em primeiro lugar as necessidades do corpo.

Você passará a sentir mais fome na hora certa. Talvez ainda não tenha muito apetite no café da manhã, mas começará a ser gostoso comer algo nessa hora. Essa primeira refeição do dia torna muito mais fácil resistir ao café e aos lanchinhos pela manhã. No almoço, você terá um apetite real; não tenha medo de satisfazê-lo. Lembre-se de que essa é sua refeição mais substancial do dia. Nessa fase, procuramos aprofundar essa prática escolhendo pratos mais saudáveis, o que significa menos carnes pesadas, menos pão e mais legumes e verduras.

Depois do almoço, você ficará satisfeito por três ou quatro horas, e os lanchinhos não serão mais tão atraentes, principalmente se você beber bastante água. Você não precisará do café da tarde. Seu corpo se sentirá mais leve entre as refeições, e você não estará tão faminto à noite. Isso o ajudará a evitar pães e doces à noite, o que é fundamental. A refeição noturna será uma sopa leve, uma salada ou legumes salteados. Evite alimentos comprados prontos.

Agora sua rotina noturna já se estabeleceu, e adormecer é mais fácil do que nunca. Talvez já esteja sonolento às 22h, e isso é bom. Você pode dormir mais cedo, porque assim ficará ainda mais fácil se levantar na manhã seguinte.

Como está dormindo mais horas e com mais regularidade, seu sono será mais profundo. O movimento intestinal pela manhã se tornará um evento pontual, e depois você se sentirá mais leve. Na verdade, todo o seu corpo se sentirá mais leve, e a balança confirmará essa sensação.

Na segunda fase, você usará a estrutura estabelecida na primeira e avançará a partir dela. Seu dia será assim:

6H – Levante-se. Tome imediatamente uma xícara de água quente para ajudar a iniciar a digestão. Você pode até encher uma garrafa térmica com água fervente e deixá-la junto à cama na véspera, se quiser.

6H15 – Exercícios. Agora é bom aumentar a intensidade de suas atividades físicas. Acrescente o treino intervalado à caminhada da manhã, correndo um minuto e andando dois. Você também pode adicionar exercícios isométricos ou posturas de ioga. Não exagere! Enquanto continua a se exercitar, vá forçando o corpo para conseguir aquela respiração boa e profunda.

7H – Café da manhã. Mantenha-o leve e saudável.

8H30 – Agora você está acostumado a terminar o café ou chá e estabelecer a intenção de não petiscar. Até o almoço, beba somente água ou chá de ervas.

10H – No meio da manhã, levante-se da mesa de trabalho e mexa-se. Você pode fazer isso toda vez que começar a se sentir sonolento ou letárgico. Incorpore movimento ao seu dia. Saia ao ar livre, se puder, ou suba uma escada. A respiração profunda aumenta a energia.

12H – A essa altura, você já sabe que vai fazer sua refeição mais substanciosa ao meio-dia. E seu apetite combinará naturalmente com o horário da refeição. Esse é o primeiro sinal de que seu corpo está se sincronizando com seu ritmo circadiano. O corpo sente fome na hora do dia em que mais precisa de calorias. Embora agora tenha mais apetite ao meio-dia, você ainda precisa de opções saudáveis à base de legumes e verduras. Evite pratos pesados feitos com farinha de trigo.

12H30 – Faça uma curta caminhada ao ar livre para auxiliar a digestão e se expor à luz natural.

13H – Estabeleça a intenção de evitar lanchinhos à tarde. Quando dá ao corpo uma pausa da comida durante cinco ou seis horas, você permite que seu sistema digestivo descanse e reajuste o ritmo circadiano. Esse é um passo importante para curar o eixo cérebro-intestino. Também faz com que seu corpo provoque uma fome suave por uma refeição noturna leve. Beba dois ou três copos de água ou xícaras de chá de ervas à tarde. Não se esqueça de hidratar seu corpo; isso lhe dará um brilho saudável.

15H – Levante-se e mexa-se outra vez. Faça alguns alongamentos à mesa ou dê uma volta no quarteirão. Assim será exposto a mais luz natural e terá mais energia para o trabalho.

18H30 – Jante sua refeição leve. Agora você estará acostumado a fazer uma refeição noturna mais leve e achá-la satisfatória, mesmo que não seja a refeição grande e pesada a que estava habituado. Se comer agora, terá 12 horas de jejum natural antes do café da manhã, permitindo a restauração do seu sistema digestivo. Isso tornará seu café da manhã mais satisfatório e ajudará seu intestino a se recuperar durante a noite.

20H30 – Desligue alegremente o computador, a TV e o celular, sabendo que a melhor parte do dia começou. Agora você já deve ter uma rotina noturna estabelecida. Ela pode incluir passar esse tempo com a família, fazer planos para o futuro e leituras ou reflexões. Esse é o seu tempo para estar presente consigo mesmo e com as pessoas que ama e para refletir sobre suas metas.

22H A 22H30 – Apague as luzes para um sono profundo.

Você se lembrou de:

- Olhar suas fezes de manhã? Como seus movimentos intestinais mudaram durante os dias em que manteve uma rotina saudável? Com mais fibras e água na alimentação, seu cólon deve estar lhe agradecendo todo dia.
- Examinar sua língua toda manhã? Você deve notar que o revestimento da língua mudou de cor. Ficou mais leve à medida que as toxinas deixaram o corpo.
- Verificar o pulso depois de cada refeição? Isso lhe dará uma noção de como seu organismo reage ao que é ingerido. Você não está apenas escutando os batimentos cardíacos, e sim observando a reação do corpo às diferentes refeições.

ERVAS PARA A SEGUNDA FASE

Enquanto aperfeiçoa sua rotina de comer e dormir, você estará acumulando menos toxinas. Seus canais estão mais abertos e sua energia flui. Isso significa que você está pronto para começar a queimar mais gordura. Lembre-se: estas ervas não poderão fazer muita coisa se você não construir uma rotina forte e escutar a sabedoria do seu tipo de corpo; no entanto, podem lhe dar um empurrãozinho.

GUGGUL. Esta erva ajuda o corpo a queimar a gordura indesejada. Também já se demonstrou que reduz o nível de colesterol e melhora a saúde cardíaca e o funcionamento da tireoide. O *guggul* também ajuda a eliminar a congestão e o muco em pessoas com metabolismo mais lento. O truque é que você precisa de hábitos saudáveis para que ele faça seu trabalho. Tome três vezes por dia, após as refeições.

AMALAKI. Esta erva também é chamada de groselha-indiana. Embora muita gente a veja como um tônico para o organismo, ela tem uma capacidade poderosa de reduzir inflamações. Diminui o calor e a hiperacidez do corpo. As pessoas que se sentem cansadas, fatigadas ou com sintomas de inflamação por exercícios ou estresse se beneficiam dessa erva. Use-a para resfriar a digestão e reduzir a azia e os anseios alimentares. Assim, essa é uma ótima indicação para quando você aumenta o nível de exercício e tenta fazer escolhas alimentares melhores. (Nota: se estiver tomando *triphala*, você já toma *amalaki*, que é um dos frutos incluídos na formulação.)

Fique de 10 a 14 dias na fase de cura, talvez um pouco mais. Alguns pacientes permanecem nela por até três meses, enquanto fazem pequenos ajustes em seus horários. É nessa fase que você verá transformações reais em sua capacidade de acordar de manhã cedo, terá mais clareza no trabalho e notará mudanças em sua forma física. Aos poucos, você também vai purificar sua alimentação prestando atenção em seu humor depois de comer, e açúcar e farinha refinada deixarão de ser tão atraentes. A meta é montar sua rotina em torno das necessidades do corpo em vez de priorizar o trabalho e os velhos hábitos. Talvez você note que, quando algo perturba seus horários, você sente a diferença na mesma hora. Se houver uma emergência noturna no trabalho ou algo assim, você perceberá a alteração na capacidade de dormir naquela noite e na clareza mental do dia seguinte.

Terceira fase: Transformação

Agora você se sente à vontade – e até feliz – com seus novos horários. Perdeu peso, ganhou foco e consegue dormir bem à noite. Qual é o próximo passo? Se já tentou um novo regime de alimentação e exercícios só para abandoná-lo em poucas semanas ou meses, você sabe o que acontece depois: a fase de manutenção, que geralmente é o último suspiro das dietas.

Na primeira fase, você avançou com adrenalina e empolgação. Na segunda, viu resultados, e eles trouxeram desafios próprios. Mas a manutenção é chata, difícil e traz menos recompensas imediatas para mantê-lo motivado. Assim, na terceira fase queremos combater o tédio com a atenção plena e aprofundar sua prática acrescentando a meditação propriamente dita.

Ainda celebrando o sucesso das duas primeiras fases, sua mente vai lhe pregar peças, dizer que pode parar com os exercícios em alguns dias se fizer todo o resto. Ou que pode responder a alguns e-mails tarde da noite. Ou que um banquete depois das 21h não vai atrapalhar. Sei que as pessoas passam por isso porque me mandam e-mails contando que foram boazinhas durante alguns meses e perguntando se podem comer pizza como recompensa. Não. *Que tal um pãozinho?* Não. *Que tal uma mordida num pãozinho? Só uma mordida?* Ora, uma mordida num pãozinho não destruirá toda a sua alimentação; no entanto, na verdade o que a maioria das pessoas quer não é uma guloseima, mas controlar o estresse.

Cultivar a atenção plena durante o dia vai mantê-lo nessa rotina saudável e lhe fornecer uma nova perspectiva. Fortalecer sua consciência mental e corporal ajudará você a se afastar da ideia de que sua alimentação é algo punitivo e passar a vê-la como algo nutritivo. Se acreditar que o exercício da manhã é um castigo por estar fora de forma, você criará a expectativa de que pode parar assim que sofrer o bastante ou estiver suficientemente em forma. O estilo de vida apresentado aqui não tem nada a ver com sofrimento. Ele visa a dar ao seu corpo o que ele precisa para você obter mais da vida.

COMO MUDAR O SEU PONTO DE REFERÊNCIA EMOCIONAL

Após trabalhar com milhares de pacientes para tirá-los do ciclo de hábitos insalubres rumo à boa saúde, notei que a maior barreira à mudança é emocional. As pessoas costumam desenvolver maus hábitos porque anseiam por um consolo que lhes foi negado no início da vida. O trauma emocional precoce cria um tipo de ponto de referência a partir do qual você decide que não merece amor e realização. Isso se transforma na lente pela qual enxerga todas as opções possíveis.

Quando seu ponto de referência é baixo, você busca consolo nas comidas sem valor nutritivo e em outras distrações. A rotina pouco saudável bloqueia os canais do corpo e baixa o *prana*, sua energia vital. Essas obstruções reforçam aquele sentimento da infância de que você não merece nada melhor, não merece se sentir totalmente vivo. Mas merece, sim.

O que proponho é uma reorganização total da antiga rotina e dos velhos hábitos. Talvez você continue a resistir, mesmo depois de começar. Sua mente lhe dirá que você não devia seguir essa alimentação, fazer exercícios de manhã cedo nem se deitar na hora certa, mesmo que seu corpo se sinta melhor do que nunca.

Quando sair da segunda fase desse programa e entrar na terceira, você precisará de prática de meditação para ajudá-lo a mudar seu ponto de referência emocional. É possível criar uma nova lente para enxergar o mundo. Logo será natural nutrir-se com comida mais saudável, dormir sempre mais cedo e movimentar-se diariamente. Você também se sentirá menos estressado e mais capaz de construir relacionamentos mais fortes e fazer escolhas importantes de carreira. Essa é a transformação que buscamos na terceira fase. Mesmo que você já tenha emagrecido e melhorado de saúde, a mudança está apenas começando.

Se, quando entrar nessa fase final, você tiver dificuldade para manter os novos hábitos, recomendo que experimente o seguinte:

1. **Comprometa-se com uma prática de meditação.** Pode ser tão simples quanto sentar-se de olhos fechados durante 20 minutos antes de se deitar. Ou deixar o celular na mesa de trabalho e usar a caminhada da tarde como meditação em movimento. De um jeito ou de outro, a prática diária de meditação permite que você observe seus pensamentos sem agir com base neles. Com isso, aprenderá que você não é seus pensamentos. Essa prática ajuda a entender que você não é nenhum dos impulsos que tem no decorrer do dia. A prática da atenção plena faz muito mais do que aumentar sua força de vontade; ela pode mudar o modo como você interage com os outros. Talvez descubra que seus relacionamentos melhoram com a meditação e que seu estado de espírito se acalma.

2. **Quando algo estressante acontecer, feche os olhos e ouça o seu corpo.** Está se sentindo apreensivo? Seu pescoço está tenso? Observe os efeitos físicos do estresse no momento. Preste atenção nessas reações físicas, inspire fundo e, ao expirar, ponha para fora qualquer angústia, permitindo-se relaxar. Faça isso antes de pegar o celular para verificar os e-mails ou mandar uma mensagem. A intenção é substituir esse ímpeto pelo hábito muito mais poderoso de escutar o corpo e verificar seus pensamentos.

No começo, a maioria de meus pacientes é incapaz de explicar por que vive do jeito que vive. É só uma rotina que adotaram com o passar dos anos. Nesse momento, você deve ligar os pontos entre o que faz que o deixa feliz e o que o deixa infeliz. Com o tempo, verá que está acumulando o estresse numa parte do corpo – a região lombar, o estômago, o pescoço. Quando observar isso, obterá informações importantes sobre a maneira como vive e quais partes de sua vida são problemáticas. Esse é um passo fundamental para estabelecer novas metas para si mesmo na vida profissional e pessoal. Você pode melhorar aspectos de sua vida que não têm nada a ver com a alimentação e a rotina de exercícios.

3. **Pergunte-se como se sente quando se exercita.** Afaste a ideia de "querer acabar logo com isso". Em vez disso, procure uma atividade de que goste a ponto de ansiar por ela com prazer. Nos primeiros minutos de cada sessão de exercícios, talvez você sinta preguiça, mas aquele *prana* bom e energizante pode lhe dar um barato natural. Nessa fase, quero que você encontre as atividades que realmente adora e se concentre nelas, pois é nessas que você vai perseverar.
4. **Use a bebida de gengibre (página 115) para ajudá-lo a combater os anseios alimentares.** Muitas vezes, as pessoas tomam essa bebida na primeira fase para ajudar a reduzir as porções e para se abster de alimentos nada saudáveis. Você pode recorrer a ela de novo caso sinta o retorno desses anseios.

Quando se instalar na terceira fase, seu dia será assim:

6H – Levante-se.

6H15 – Exercício vigoroso. Você ainda precisa de só 20 a 30 minutos por dia, mas acrescentar o treino intervalado ajudará a limpar os canais e melhorar a forma física.

6H45 – Acrescente cinco minutos de meditação. Use o guia da meditação sentada da página 48. Você pode meditar por até 15 minutos, se quiser. Isso estabelecerá seu equilíbrio emocional para o resto do dia.

7H – Tome um café da manhã leve.

8H30 – Suspenda o café ou chá que contenha cafeína e comece a beber água ou chá de ervas sem cafeína.

10H – Levante-se e se movimente um pouco ou saia ao ar livre para se expor à luz natural.

12H – Almoce uma refeição saudável e substancial.

12H30 – Vá lá fora para pegar um pouco de luz natural.

13H – Estabeleça a intenção de evitar lanchinhos. Beba dois ou três copos de água ou xícaras de chá de ervas à tarde.

15H – Levante-se e mexa-se um pouco. Saia para pegar luz natural se puder.

18H30 – Jante uma refeição leve.

20H30 – Desligue alegremente os aparelhos eletrônicos e comece essa fase do dia com uma breve meditação. Você pode meditar de 5 a 15 minutos. Isso fará maravilhas por seu sono e sua clareza emocional no dia seguinte.

22H30 – Hora de apagar as luzes para um sono profundo, restaurador e sem esforço.

Você se lembrou de:

- Experimentar o jejum suave? Escolha um dia da semana e não jante. Essa é uma técnica extraordinária para descobrir a diferença entre a falsa fome e a fome real. Se tiver metabolismo lento, você já pode ter tentado abrir mão do jantar de vez em quando para ver como se sente quando fica 18 horas ou mais sem comida. Na verdade, é um modo interessante de testar também se sua fome noturna é real. Você sabe que estará com um pouco de fome na hora do jantar e talvez se surpreenda ao ver que a fome vai embora depressa depois desse período.
- Faça a si mesmo três perguntas: *O que fiz pelo meu corpo hoje? O que fiz pela minha mente hoje? O que fiz pelo meu espírito hoje?* É fácil deixar os dias passarem enquanto você trabalha e apaga incêndios. Mas é preciso prestar atenção em como nutre seu corpo com experiências, como apoia sua mente com novas ideias e como eleva seu espírito com meditação e reflexão. As respostas a essas três perguntas lhe dirão como leva a vida no dia a dia.

ERVAS PARA A TERCEIRA FASE

Há várias ervas que podem ajudá-lo a limpar a mente e fortalecer sua determinação, que constitui a base da fase transformadora.

Ashwagandha. Às vezes esta erva é chamada de "a força do garanhão" por suas propriedades curativas e seu efeito sobre o sistema imunológico. Ajuda a construir músculos, principalmente se você pratica exercícios intensos. Também acalma e clareia a mente. Você pode ingeri-la em pó, misturada a um chá ou água morna, ou em cápsulas, pela manhã ou à noite.

Brahmi. Trata-se de um adaptógeno, ou seja, ajuda o corpo a se adaptar a novos estressores. Esta erva auxilia o cérebro e pode melhorar a memória, a aprendizagem e o funcionamento cerebral. As pessoas dizem que as ajuda a pensar com mais clareza, sobretudo quando a vida anda muito atribulada. Mas é mais conhecida pela capacidade de reduzir o estresse. Também pode diminuir a inflamação generalizada, o que é bom quando você está liberando toxinas nessa fase do plano alimentar. Tome uma cápsula de 250 mg pela manhã.

Shatavari. Esta erva tradicional é usada há séculos como tônico da saúde reprodutora da mulher. Ajuda a estabilizar a mente e a equilibrar os hormônios. Oferece apoio natural à produção de estrogênio e combate a fadiga, ou seja, ajuda a regular o ciclo menstrual. As mulheres também podem usá-la quando se aproximam da menopausa, porque ajuda a aliviar essa transição. Tome um comprimido de 500 mg pela manhã ou misture de 1/4 a 1/2 colher de chá do pó em leite ou água mornos.

Gostaria de dizer que essa fase pode levar de 7 a 10 dias para se instalar por completo, mas na verdade ela é permanente. À medida que aprofunda a prática de meditação e se conecta inteiramente com seu corpo e suas metas na vida, essa fase continuará a evoluir. A transformação é um processo, não um destino.

Em algumas semanas e meses, será fácil manter a rotina; em outros, você poderá sentir novas dificuldades. Quando estabelecer a conexão corpo--mente, você descobrirá mudanças de todo tipo ocorrendo em sua vida. Talvez busque novos desafios no trabalho. Talvez veja que seus relacionamentos melhoram. Ou talvez descubra que tem mais confiança. Muitos pacientes meus que chegam a esse ponto dizem que seus amigos lhes perguntam por que parecem tão bem. Eles resplandecem, não só pela boa saúde como pelos bons sentimentos. E essa é minha meta para você também.

● ○ ◐ ●

Ao estabelecer e seguir uma rotina saudável, você se sintonizará sem esforço com seu corpo e suas necessidades. Com isso, espero que obtenha outra consciência do tempo, não como um marcador de quanto realizou ou de quanto ainda tem a fazer, mas como uma fonte de oportunidades.

A manhã não tem que se resumir à experiência de se arrastar da cama e correr para o escritório. Em vez disso, ela pode ser um período que lhe dá a energia, o combustível e a contemplação necessários. O meio-dia é o momento de parar o que estiver fazendo e nutrir o corpo com uma refeição farta, um pouco de movimento e luz. Mais importante, a noite será um período para se reconectar consigo mesmo enquanto se prepara para repousar.

Falei muito sobre repouso e rejuvenescimento neste livro porque é o que mais falta na rotina da vida moderna. Corremos tanto o tempo todo e tão sem propósito que nos esquecemos de parar, respirar e nos perguntar como nos sentimos, e notar como realmente somos afortunados. Pense na última vez que entrou num elevador: você apertou o botão para fechar a porta? Notou como estava gasto? Não basta que o elevador faça o milagre de levá-lo até muitos andares acima em apenas alguns segundos – você sente a necessidade de se irritar porque a porta não se fechou assim que entrou.

O ayurveda é o antídoto a essa impaciência entranhada, porque dá ênfase ao repouso e à reflexão. Os estudiosos ayurvédicos observaram há muito tempo que a qualidade da atividade depende da qualidade do repouso. E isso tem sido confirmado pelos cronobiólogos, que observam que o corpo funciona num ciclo diário principal e que esse ciclo engloba tanto a atividade quanto o repouso necessário. Ambos são fundamentais para a boa saúde. O ayurveda também insiste na consciência da relação de seu corpo com o mundo mais amplo. Pede que você considere que tudo o que acontece na natureza lá fora também acontece dentro de seu organismo. São universos intimamente ligados.

O ayurveda nos conscientiza de que o corpo tem necessidades individuais. Você não precisa exatamente da mesma alimentação ou rotina de exercícios que seu cônjuge ou melhor amigo. É preciso se conhecer e conhecer as próprias necessidades. Se ouvir o seu corpo com regularidade, você obterá a sabedoria necessária para viver bem. De certo modo, o ayurveda é a medicina personalizada original.

Ao seguir os conceitos deste livro, você pode se manter saudável não só a cada dia, mas a cada estação do ano e a cada estação da vida. E é isto que lhe desejo: boa saúde sem esforço em todas as estações.

AGRADECIMENTOS

Mude seus horários, mude sua vida não teria sido possível sem meus clientes e alunos que me abriram suas vidas e dividiram comigo suas dificuldades e jornadas pessoais. Eles me deram grandes insights sobre os horários na rotina moderna e sobre a tenacidade do domínio da tecnologia sobre todos nós, e mostraram verdadeira coragem para mudar a própria vida.

Este livro me deu uma compreensão importante de como o cronograma diário certo pode ajudá-lo a encontrar propósito na vida. Como alguém que se mudou da Índia rural para o movimentado Vale do Silício, eu também tive dificuldade em encontrar equilíbrio. Assim como eu, meus pacientes se esforçavam para conciliar as exigências de uma vida profissional sobrecarregada com o ideal de saúde. Juntos, aproveitamos a atemporal sabedoria ayurvédica e encontramos as respostas, que se tornaram a inspiração para estas páginas.

Também quero agradecer a Amanda Annis, da Trident Media, cujo entusiasmo inesgotável por este projeto foi evidente desde o primeiro momento. Para minha sorte, Karen Rinaldi da HarperWave concordou e, desde nossa primeira conversa, eu soube que estava em boas mãos.

Esta obra deve muito à escritora Michelle Seaton, com sua intensa curiosidade sobre como reunir a sabedoria ayurvédica e a ciência moderna. Entusiasmada, ela ajustou seus horários e se manteve saudável durante a escrita deste livro, apesar de obrigações pessoais e profissionais conflitantes.

Minha brilhante editora Hannah Robinson trabalhou duro para assegurar que tivéssemos a combinação certa de ciência, histórias pessoais e sabedoria ayurvédica. Nos vários rascunhos, ela deu alegremente conselhos sobre tudo, de frases específicas à estrutura do livro. E sabe a importância de cumprir o cronograma. Todos os autores precisam de ajuda com isso. A equipe inteira da HarperWave, que inclui Yelena Nesbit, Penny Makras, Lydia Weaver, Leah Carlson-Stanisic, Adalis Martinez e Erica Bahrenburg, se esforçou muito para tornar este livro bonito e envolvente. Foi um privilégio trabalhar com todas elas.

Sou eternamente grato aos que formaram a base do movimento pelo bem-estar no mundo inteiro. Sem seus ensinamentos, nada do que escrevi aqui faria sentido para os leitores. Sua Santidade Maharishi Mahesh Yogi, fundador do Movimento da Meditação Transcendental, me deu insights sobre os estados mais elevados da consciência e também me ajudou a entender a verdadeira natureza da ciência védica em sua aplicação moderna. Minha mais profunda gratidão vai para o Dr. Deepak Chopra, pela inspiração, visão e amizade. O Chopra Center é um farol na medicina do corpo-mente; e, com suas oficinas e seus textos, Deepak lançou as bases da moderna medicina ayurvédica. Ele deu apoio sincero a este projeto desde sua concepção e tem sido um mentor incrivelmente generoso há muitos anos. Sinto-me abençoado por ter aprendido com os melhores.

Também quero agradecer a meus colegas ayurvédicos que trabalham de forma incansável para tornar o ayurveda acessível ao mundo ocidental. Isso inclui meus colegas da Universidade Maharishi, que continuam a me inspirar. Eles são os guias da sabedoria védica e de sua abordagem integrativa.

Minha equipe no Ayurvedic Healing tem sido uma base sólida durante todo esse processo. Eles se adaptam alegremente à mudança de meus horários e às viagens internacionais e me ajudam a dar apoio aos pacientes e clientes que precisam de nossa ajuda.

Por fim, o mais importante: agradeço à minha esposa, Manisha, uma força calma porém dinâmica em minha vida. Ela manteve tudo funcionando durante os muitos anos de viagens e novas iniciativas. Aceitou-me como sou e, em silêncio, mudou o tecido de minha vida para torná-la abundante, bela e feliz. Ela é uma abençoada praticante ayurvédica e também escritora. Sempre foi minha primeira leitora, a pessoa que dá ideias fundamentais sobre tudo o que escrevo. Juntos, temos duas bênçãos: nossos filhos, Manas e Sanika, revisores em primeira mão deste material e de sua aplicação. São ambos adultos vibrantes, amorosos e realizados. Seu amor incondicional é minha maior dádiva.

NOTAS

Capítulo 1: Não é você, são seus horários

1. Fonken, Laura K. et al. "Dim Light at Night Disrupts Molecular Circadian Rhythms and Affects Metabolism", *Journal of Biological Rhythms*, 28.4, 2013, pp. 262-271. Data do acesso: 11 de julho de 2017, doi: 10.1177/0748730413493862.

2. Thaiss, Christoph A. et al. "Transkingdom Control of Microbiota Diurnal Oscillations Promotes Metabolic Homeostasis", *Cell*, 159, nº 3, pp. 514-529.

3. Kiser, K. "Father Time", *Minn Med*, 88, nº 11, 2005, p. 26.

Capítulo 2: O relógio biológico

1. Garaulet, M.; Gómez-Abellán, P.; Alburquerque-Béjar, J. J.; Lee, Y.-C.; Ordovás, J. M.; Scheer, F. A. "Timing of food intake predicts weight loss effectiveness", *International Journal of Obesity*, 37, nº 4, 2013, pp. 604-611, doi: 10.1038/ijo.2012.229.

2. Calvin, A. D.; Carter, R. E.; Adachi, T. *et al.* "Effects of Experimental Sleep Restriction on Caloric Intake and Activity Energy Expenditure", *Chest*, 144, nº 1, 2013, pp. 79-86, doi: 10.1378/chest.12-2829.

3. Van Proeyen, K.; Szlufcik, K.; Nielens, H.; Pelgrim, K.; Deldicque, L.; Hesselink, M.; Van Veldhoven, P. P.; Hespel, P. "Training in the fasted state improves glucose tolerance during fat-rich diet", *The Journal of Physiology*, 588, nº 21, 2010, pp. 4.289-4.302, doi: 10.1113/jphysiol.2010.196493.

4. Puetz, T. W.; O'Connor, P. J.; Dishman, R. K. "Effects of chronic exercise on feelings of energy and fatigue: a quantitative synthesis", *Psychological Bulletin*, 132, nº 6, 2006, pp. 866-876.

Capítulo 3: Escute seu corpo

1. Critchley, H. D.; Wiens, S.; Rotshtein, P.; Ohman, A.; Dolan, R. J. "Neural systems supporting interoceptive awareness", *Nature Neuroscience*, 7, 2004, pp. 189-195.

2. Dunn, Barnaby D.; Stefanovitch, Iolanta; Evans, Davy; Oliver, Clare; Hawkins, Amy; Dalgleish, Tim. "Can you feel the beat? Interoceptive awareness is an interactive function of anxiety- and depression-specific symptom dimensions", *Behaviour Research and Therapy*, 48, nº 11, 2010, pp. 1.133-1.138.

3. Price, C.; Smith-DiJulio, K. "Interoceptive Awareness is Important for Relapse Prevention: Perceptions of Women Who Received Mindful Body Awareness in Substance Use Disorder Treatment", *Journal of Addictions Nursing*, 27, nº 1, 2016, pp. 32-38, doi: 10.1097/JAN.0000000000000109.

4. Garland, S. N.; Zhou, E. S.; Gonzalez, B. D.; Rodriguez, N. "The Quest for Mindful Sleep: A Critical Synthesis of the Impact of Mindfulness-Based Interventions for Insomnia", *Current Sleep Medicine Reports*, 2, nº 3, 2016, pp. 142-151, doi: 10.1007/s40675-016-0050-3.

5. Koch, C. E.; Leinweber, B.; Drengberg, B. C.; Blaum, C.; Oster, H. "Interaction between circadian rhythms and stress", *Neurobiology of Stress*, 6, nº 57, 2017, pp. 57-67, doi: 10.1016/j.ynstr.2016.09.001.

Capítulo 4: Dormir é o melhor remédio

1. Ronnenberg, T. et al. "Social Jetlag and Obesity", *Current Biology*, 22 de maio de 2012, pp. 939-943.

2. Potter, G. et al. "Circadian Rhythm and Sleep Disruption: Causes, Metabolic Consequences and Countermeasures", *Endocrine Reviews*, 37, nº 6, 2016, pp. 584-608, doi: 10.1210/er.2016-1083.

3. Spiegel, K.; Leproult, R.; Van Cauter, E. "Impact of sleep debt on metabolic and endocrine function", *The Lancet*, 354, nº 9.188, 1999, pp. 1.435-1.439.

4. Roenneberg, T., Wirz-Justice, A. e Merrow, M. "Life between clocks: daily temporal patterns of human chronotypes", *Journal of Biological Rhythms*, 18, nº 1, fevereiro de 2003, pp. 80-90.

5. Ronnenberg, T. et al. "Social Jetlag and Obesity", *Current Biology*, 22, 22 de maio de 2012, pp. 939-943.

6. Boubekri, M.; Cheung, I. N.; Reid, K. J.; Wang, C.-H.; Zee, P. C. "Impact of Windows and Daylight Exposure on Overall Health and Sleep Quality of Office Workers: A Case-Control Pilot Study", *Journal of Clinical Sleep Medicine*, 10, nº 6, 2014, pp. 603-611, doi: 10.5664/jcsm.3780.

7. Chang, A.-M.; Aeschbach, D.; Duffy, J. F.; Czeisler, C. A. "Evening use of light-emitting e-Readers negatively affects sleep, circadian timing, and next-morning alertness", *Proceedings of the National Academy of Sciences*, 112, nº 4, 2015, pp. 1.232-1.237, doi: 10.1073/pnas.1418490112.

8. Pennebaker, J. W.; Beall, S. K. "Confronting a traumatic event: toward an understanding of inhibition and disease", *Journal of Abnormal Psychology*, 95, nº 3, 1986, pp. 274-281.

9. Wright, K. P.; McHill, A. W.; Birks, B. R.; Griffin, B. R.; Rusterholz, T.; Chinoy, E. D. "Entrainment of the Human Circadian Clock to the Natural Light-Dark Cycle", *Current Biology*, 23, nº 16, 2013, pp. 1.554-1.558, doi: 10.1016/j.cub.2013.06.039.

10. Stothard, Ellen R.; *et al.* "Circadian Entrainment to the Natural Light-Dark Cycle across Seasons and the Weekend", *Current Biology*, 27, nº 4, pp. 508-513.

Capítulo 6: Você é quando você come

1. Gill, S.; Panda, S. "A smartphone app reveals erratic diurnal eating patterns in humans that can be modulated for health benefits", *Cell Metabolism*, 22, nº 5, 2015, pp. 789-798, doi: 10.1016/j.cmet.2015.09.005.

2. La Fleur, S. E. *et al.* "A daily rhythm in glucose tolerance: a role for the suprachiasmatic nucleus", *Diabetes*, 50, nº 6, 2001, pp. 1.237-1.243.

3. Bo, S. *et al.* "Consuming more of daily caloric intake at dinner predisposes to obesity. A 6-year population-based prospective cohort study", *PLoS One*, 24 de setembro de 2014, doi: 10.1371/journal.pone.0108467.

4. Jakubowicz, D. *et al.* "High caloric intake at breakfast vs. dinner differentially influences weight loss of overweight and obese women", *Obesity*, 21, nº 12, 2013, pp. 2.504-2.512, doi: 10.1002/oby.20460.

5. Jakubowicz, D. *et al.* "Meal timing and composition influence ghrelin levels, appetite scores and weight loss maintenance in overweight and obese adults", *Steroids*, 77, nº 4, 10 de março de 2012, pp. 323-331, doi: 10.10.1016/j.steroids.2011.12.006.

6. Mu, C. *et al.* "Gut microbiota: the brain's peacekeeper", *Frontiers in Microbiology*, 7, nº 345, doi: 10.3389/fmicb.2016.0345.

7. Lu, W. Z. *et al.* "Melatonin improves bowel symptoms in female patients with irritable bowel syndrome: a double-blind placebo-controlled study", *Alimentary Pharmacology & Therapeutics*, 22, nº 927, 2005, pp. 927-934.

8. Gill, S.; Panda, S. "A smartphone app reveals erratic diurnal eating patterns in humans that can be modulated for health benefits", *Cell Metabolism*, 22, nº 5, 2015, pp. 789-798, doi: 10.1016/j.cmet.2015.09.005.

Capítulo 8: O exercício certo na hora certa

1. Puetz, T. W.; Flowers, S. S.; O'Connor, P. J. "A Randomized Controlled Trial of the Effect of Aerobic Exercise Training on Feelings of Energy and Fatigue in Sedentary Young Adults with Persistent Fatigue", *Psychotherapy and Psychosomatics*, 77, 2008, pp. 167-174.

2. Yamanaka, Y. *et al.* "Effects of physical exercise on human circadian rhythms", *Sleep and Biological Rhythms*, 4, pp. 199-206, doi: 10.1111/j.1479-8425.2006.00234.x.

3. Miyazaki, T. *et al.* "Phase-advance shifts of human circadian pacemaker are accelerated by daytime physical exercise", *American Journal of Physiology-Regulatory, Integrative and Comparative Physiology*, 281, nº 1, 1º de julho de 2001, pp. R197-R205.

4. Tworoger, S. S. *et al.* "Effects of a yearlong moderate-intensity exercise and a stretching intervention on sleep quality in postmenopausal women", *Sleep*, 26, nº 7, 1º de novembro de 2003, pp. 830-836.

5. Peek, Clara Bien *et al.* "Circadian Clock Interaction with HIF1 Mediates Oxygenic Metabolism and Anaerobic Glycolysis in Skeletal Muscle", *Cell Metabolism*, 25, nº 1, pp. 86-92.

6. Ulf, E. *et al.* "Does physical activity attenuate, or even eliminate, the detrimental association of sitting time with mortality? A harmonised meta-analysis of data from more than 1 million men and women", *The Lancet*, 388, nº 10.051, 2016, pp. 1.302-1.310, doi: 10.1016/S0140-6736(16)30370-1.

7. Mads, R. *et al.* "Body fat loss and compensatory mechanisms in response to different doses of aerobic exercise – a randomized controlled trial in overweight, sedentary males", *American Journal of Physiology-Regulatory,*

Integrative and Comparative Physiology, 1º de agosto de 2012, doi: 10.1152/ajpregu.00141.2012.

Capítulo 10: Seu corpo em cada estação do ano

1. Brennan, P. J.; Greenberg, G.; Miall, W. E.; Thompson, S. G. "Seasonal variation in arterial blood pressure", *British Medical Journal* (Clinical Research Education), 285, nº 6.346, pp. 919-923.

2. Gordon, D. J. *et al.* "Seasonal cholesterol cycles: the Lipid Research Clinics Coronary Primary Prevention Trial placebo group", *Circulation*, 76, nº 6, pp. 1.224-1.231.

3. Manfredini, R.; Manfredini, F. *et al.* "Chronobiology of Vascular Disorders: a 'Seasonal' Link between Arterial and Venous Thrombotic Diseases?", *Journal of Coagulation Disorders*, janeiro de 2010.

4. Castro, J. M. de. "Seasonal rhythms of human nutrient intake and meal pattern", *Physiology & Behavior*, 50, nº 1, pp. 243-248.

5. Lambert, G. W.; Reid, C.; Kaye, D. M.; Jennings, G. L.; Esler, M. D. "Effect of sunlight and season on serotonin turnover in the brain", *The Lancet*, 360, nº 9.348, 2002, pp. 1.840-1.842.

6. Karson, C. N.; Berman, K. F.; Kleinman, J.; Karoum, F. "Seasonal variation in human central dopamine activity", *Psychiatry Research*, 11, nº 2, 1984, pp. 111-117.

7. Levitan, R. D. "The chronobiology and neurobiology of winter seasonal affective disorder", *Dialogues in Clinical Neuroscience*, 9, nº 3, 2007, pp. 315-324.

8. Meyer, C.; Muto, V.; Jaspar, M. *et al.* "Seasonality in human cognitive brain responses", *Proceedings of the National Academy of Sciences of the United States of America*, 113, nº 11, 2016, pp. 3.066-3.071, doi: 10.1073/pnas.1518129113.

9. Dopico, X. C.; Evangelou, M.; Ferreira, R. C. *et al.* "Widespread seasonal gene expression reveals annual differences in human immunity and physiology", *Nature* Communications 6, nº 7.000, doi: 10.1038/ncomms8000.

SOBRE O AUTOR

O Dr. Suhas Kshirsagar é um educador e médico ayurvédico indiano de fama mundial, diretor da Ayurvedic Healing and Integrative Wellness Clinic, no norte da Califórnia, e autor de *The Hot Belly Diet*. É bacharel em medicina ayurvédica e fez três anos de residência como médico (doutorado em medicina interna ayurvédica) na prestigiada Universidade Pune, na Índia. É assessor e especialista do Chopra Center e pertence ao corpo docente de várias instituições ayurvédicas.

https://www.ayurvedichealing.net/
http://www.drsuhas.com/

CONHEÇA ALGUNS DESTAQUES DE NOSSO CATÁLOGO

- Augusto Cury: Você é insubstituível (2,8 milhões de livros vendidos), Nunca desista de seus sonhos (2,7 milhões de livros vendidos) e O médico da emoção
- Dale Carnegie: Como fazer amigos e influenciar pessoas (16 milhões de livros vendidos) e Como evitar preocupações e começar a viver
- Brené Brown: A coragem de ser imperfeito – Como aceitar a própria vulnerabilidade e vencer a vergonha (600 mil livros vendidos)
- T. Harv Eker: Os segredos da mente milionária (2 milhões de livros vendidos)
- Gustavo Cerbasi: Casais inteligentes enriquecem juntos (1,2 milhão de livros vendidos) e Como organizar sua vida financeira
- Greg McKeown: Essencialismo – A disciplinada busca por menos (400 mil livros vendidos) e Sem esforço – Torne mais fácil o que é mais importante
- Haemin Sunim: As coisas que você só vê quando desacelera (450 mil livros vendidos) e Amor pelas coisas imperfeitas
- Ana Claudia Quintana Arantes: A morte é um dia que vale a pena viver (400 mil livros vendidos) e Pra vida toda valer a pena viver
- Ichiro Kishimi e Fumitake Koga: A coragem de não agradar – Como se libertar da opinião dos outros (200 mil livros vendidos)
- Simon Sinek: Comece pelo porquê (200 mil livros vendidos) e O jogo infinito
- Robert B. Cialdini: As armas da persuasão (350 mil livros vendidos)
- Eckhart Tolle: O poder do agora (1,2 milhão de livros vendidos)
- Edith Eva Eger: A bailarina de Auschwitz (600 mil livros vendidos)
- Cristina Núñez Pereira e Rafael R. Valcárcel: Emocionário – Um guia lúdico para lidar com as emoções (800 mil livros vendidos)
- Nizan Guanaes e Arthur Guerra: Você aguenta ser feliz? – Como cuidar da saúde mental e física para ter qualidade de vida
- Suhas Kshirsagar: Mude seus horários, mude sua vida – Como usar o relógio biológico para perder peso, reduzir o estresse e ter mais saúde e energia

sextante.com.br